COLLECTION FOLIO

Jean-Jacques Sempé est né à Bordeaux le 17 août 1932. Élève très indiscipliné, il est renvoyé de son collège et commence à travailler à dix-sept ans. Après avoir été l'assistant malchanceux d'un courtier en vins et s'être engagé dans l'armée, il se lance à dix-neuf ans dans le dessin humoristique. Ses débuts sont difficiles, mais Sempé travaille comme un forcené. Il collabore à de nombreux magazines : *Paris Match*, *L'Express*...

En 1959, il « met au monde » la série des Petit Nicolas avec son ami René Goscinny. Sempé vit à Paris (rêvant de campagne) et à la campagne (rêvant de Paris). Il a, depuis, publié une quarantaine d'albums parus aux Éditions Denoël. En 2009, paraît *Sempé à New York*, recueil d'une centaine de couvertures du *New Yorker* dont Sempé est collaborateur depuis 1978.

Dans la collection Folio Junior, il est l'auteur de *Marcellin Caillou* (1997) et de *Raoul Taburin* (1998) ; il a également illustré *Catherine Certitude* de Patrick Modiano (1998) et *L'histoire de Monsieur Sommer* de Patrick Süskind (1998).

René Goscinny est né à Paris en 1926 mais il passe son enfance en Argentine. « J'étais en classe un véritable guignol. Comme j'étais aussi plutôt bon élève, on ne me renvoyait pas. » Après une brillante scolarité au collège français de Buenos Aires, c'est à New York qu'il commence sa carrière au côté d'Harvey Kurtzman, fondateur de *Mad*. De retour en France dans les années cinquante, il collectionne les succès. Avec Sempé, il imagine le Petit Nicolas, inventant pour lui un langage et un univers qui feront la notoriété du désormais célèbre écolier. Puis Goscinny crée Astérix avec Uderzo. Le triomphe du petit Gaulois sera phénoménal. Auteur prolifique, il est également le créateur de Lucky Luke avec Morris, d'Iznogoud avec Tabary, des *Dingodossiers* avec Gotlib... À la tête du légendaire magazine *Pilote*, il révolutionne la bande dessinée. Humoriste de génie, c'est avec *Le Petit Nicolas* que Goscinny donne toute la mesure de son talent d'écrivain. C'est peut-être pour cela qu'il dira : « J'ai une tendresse toute particulière pour ce personnage. » René Goscinny est mort le 5 novembre 1977, à cinquante et un ans. Il est aujourd'hui l'un des écrivains les plus lus au monde.

Sempé-Goscinny

Le petit Nicolas
a des ennuis

IMAV éditions

Joachim a des ennuis

Joachim n'est pas venu hier à l'école et il est arrivé en retard aujourd'hui, l'air très embêté, et nous on a été très étonnés. On n'a pas été étonnés que Joachim soit en retard et embêté, parce qu'il est souvent en retard et toujours embêté quand il vient à l'école, surtout quand il y a interrogation écrite de grammaire ; ce qui nous a étonnés, c'est que la maîtresse lui ait fait un grand sourire, et lui ait dit :

— Eh bien, félicitations, Joachim ! Tu dois être content, n'est-ce pas ?

Nous, on a été de plus en plus étonnés, parce que si la maîtresse a déjà été gentille avec Joachim (elle est très chouette et elle est gentille avec n'importe qui), elle ne l'a jamais, jamais félicité. Mais ça n'a pas eu l'air de lui faire plaisir, à Joachim, qui, toujours aussi embêté, est allé s'asseoir à son banc, à côté de Maixent. Nous, on s'était tous retournés pour le regarder, mais la maîtresse a tapé sur son bureau avec sa règle et elle nous a dit de ne pas nous dissiper, de nous occuper de nos affaires et de copier ce qu'il y avait au tableau, sans faire de fautes, je vous prie.

Et puis, j'ai entendu la voix de Geoffroy, derrière moi :

— Faites passer ! Joachim a eu un petit frère !

À la récré, on s'est mis tous autour de Joachim, qui était appuyé contre le mur, avec les mains dans les poches, et on lui a demandé si c'était vrai qu'il avait eu un petit frère.

— Ouais, nous a dit Joachim. Hier matin, Papa m'a réveillé. Il était tout habillé et pas rasé, il rigolait, il m'a embrassé et il m'a dit que, pendant la nuit, j'avais eu un petit frère. Et puis il m'a dit de m'habiller en vitesse et nous sommes allés dans un hôpital, et là, il y avait Maman ; elle était couchée, mais elle avait l'air aussi contente que Papa, et près de son lit, il y avait mon petit frère.

— Ben, j'ai dit, toi t'as pas l'air tellement content !

— Et pourquoi je serais content ? a dit Joachim. D'abord, il est moche comme tout. Il est tout petit, tout rouge et il crie tout le temps, et tout le monde trouve ça rigolo. Moi, quand je crie un peu, à la maison, on me fait taire tout de suite, et puis Papa me dit que je suis un imbécile et que je lui casse les oreilles.

— Ouais, je sais, a dit Rufus. Moi aussi, j'ai un petit frère, et ça fait toujours des histoires. C'est le chouchou et il a le droit de tout faire, et si je lui tape dessus, il va tout raconter à mes parents, et puis après je suis privé de cinéma, jeudi !

— Moi, c'est le contraire, a dit Eudes. J'ai un grand frère et c'est lui le chouchou. Il a beau dire que c'est moi qui fais des histoires, lui, il me tape dessus, il a le droit de rester tard pour regarder la télé et on le laisse fumer !

— Depuis qu'il est là, mon petit frère, on m'attrape tout le temps, a dit Joachim.

À l'hôpital, Maman a voulu que je l'embrasse, mon petit frère, et moi, bien sûr, je n'en avais pas envie, mais j'y suis allé quand même, et Papa s'est mis à crier que je fasse attention, que j'allais renverser le berceau et qu'il n'avait jamais vu un grand empoté comme moi.

— Qu'est-ce que ça mange, quand c'est petit comme ça ? a demandé Alceste.

— Après, a dit Joachim, nous sommes retournés à la maison, Papa et moi, et ça fait tout triste, la maison, sans Maman. Surtout que c'est Papa qui a

12

fait le déjeuner, et il s'est fâché parce qu'il ne trouvait pas l'ouvre-boîtes, et puis après on a eu seulement des sardines et des tas de petits pois. Et ce matin, pour le petit déjeuner, Papa s'est mis à crier après moi, parce que le lait se sauvait.

— Et tu verras, a dit Rufus. D'abord, quand ils le ramèneront à la maison, il va dormir dans la chambre de tes parents, mais après, on va le mettre dans ta chambre à toi. Et chaque fois qu'il se mettra à pleurer, on croira que c'est toi qui l'as embêté.

— Moi, a dit Eudes, c'est mon grand frère qui couche dans ma chambre, et ça ne me gêne pas trop, sauf quand j'étais tout petit, ça fait longtemps, et que cette espèce de guignol s'amusait à me faire peur.

— Ah ! non ! a crié Joachim. Ça, il peut toujours courir, mais il ne couchera pas dans ma chambre ! Elle est à moi, ma chambre, et il n'a qu'à s'en trouver une autre s'il veut dormir à la maison !

— Bah ! a dit Maixent. Si tes parents disent que ton petit frère couche dans ta chambre, il couchera dans ta chambre, et voilà tout.

— Non, monsieur ! Non, monsieur ! a crié Joachim. Ils le coucheront où ils voudront, mais pas chez moi ! Je m'enfermerai, non mais sans blague !

— C'est bon, ça, des sardines avec des petits pois ? a demandé Alceste.

— L'après-midi, a dit Joachim, Papa m'a ramené à l'hôpital, et il y avait mon oncle Octave, ma tante Édith et puis ma tante Lydie, et tout le monde disait que mon petit frère ressemblait à des tas de gens, à Papa, à Maman, à l'oncle Octave, à tante Édith, à tante Lydie et même à moi. Et puis on m'a dit que je devais être bien content, et que maintenant il faudrait que je sois très sage, que j'aide ma Maman et que je travaille bien à l'école. Et Papa a dit qu'il espérait bien que je ferais des efforts, parce que jusqu'à présent je n'étais qu'un cancre, et qu'il fallait que je devienne un exemple pour mon petit frère. Et puis après, ils ne se sont plus occupés de moi, sauf Maman, qui m'a embrassé et qui m'a dit qu'elle m'aimait bien, autant que mon petit frère.

— Dites, les gars, a dit Geoffroy, si on faisait une partie de foot, avant que la récré se termine ?

— Tiens ! a dit Rufus, quand tu voudras sortir pour aller jouer avec les copains, on te dira de rester à la maison pour garder ton petit frère.

— Ah ! oui ? Sans blague ! Il se gardera tout seul, celui-là ! a dit Joachim. Après tout, personne ne l'a sonné. Et j'irai jouer chaque fois que j'en aurai envie !

— Ça fera des histoires, a dit Rufus, et puis on te dira que tu es jaloux.

— Quoi ? a crié Joachim. Ça, c'est la meilleure !

Et il a dit qu'il n'était pas jaloux, que c'était bête de dire ça, qu'il ne s'en occupait pas, de son petit frère ; la seule chose, c'est qu'il n'aimait pas qu'on l'embête et qu'on vienne coucher dans sa chambre, et puis qu'on l'empêche d'aller jouer avec les copains, et que lui il n'aimait pas les chouchous, et que si on l'embêtait trop, eh bien, il quitterait la maison, et c'est tout le monde qui serait bien embêté, et qu'ils pouvaient le garder, leur Léonce, et que tout le monde le regretterait bien quand il serait parti, surtout quand ses parents sauraient qu'il était capitaine sur un bateau de guerre et qu'il gagnait beaucoup d'argent, et que de toute façon il en avait assez de la maison et de l'école, et qu'il n'avait besoin de personne, et que tout ça, ça le faisait drôlement rigoler.

— Qui c'est, Léonce ? a demandé Clotaire.

— C'est mon petit frère, tiens, a répondu Joachim.

— Il a un drôle de nom, a dit Clotaire.

Alors, Joachim s'est jeté sur Clotaire et il lui a donné des tas de baffes, parce qu'il nous a dit que s'il y avait une chose qu'il ne permettait pas, c'est qu'on insulte sa famille.

La lettre

Je suis drôlement inquiet pour Papa, parce qu'il n'a plus de mémoire du tout. L'autre soir, le facteur est venu apporter un grand paquet pour moi, et j'étais très content parce que j'aime bien quand le facteur apporte des paquets pour moi, et c'est toujours des cadeaux que m'envoie mémé, qui est la maman de ma maman, et Papa dit qu'on n'a pas idée de gâter comme ça un enfant, et ça fait des histoires avec Maman, mais là il n'y a pas eu d'histoires et Papa était très content parce que le paquet n'était pas de mémé, mais de M. Moucheboume qui est le patron de Papa. C'est un jeu de l'oie — j'en ai déjà un — et il y avait une lettre dedans pour moi :

« À mon cher petit Nicolas, qui a un papa si travailleur.

« Roger Moucheboume. »

— En voilà une idée ! a dit Maman.
— C'est parce que l'autre jour, je lui ai rendu un service personnel, a expliqué Papa. Je suis allé faire la queue à la gare, pour lui prendre des places pour

partir en voyage. Je trouve que d'avoir envoyé ce cadeau à Nicolas est une idée charmante.

— Une augmentation aurait été une idée encore plus charmante, a dit Maman.

— Bravo, bravo ! a dit Papa. Voilà le genre de remarque à faire devant le petit. Eh bien, que suggères-tu ? Que Nicolas renvoie le cadeau à Moucheboume en lui disant qu'il préfère une augmentation pour son papa ?

— Oh non ! j'ai dit.

Parce que c'est vrai : même si j'en ai déjà un, jeu de l'oie, l'autre je pourrai l'échanger à l'école avec un copain pour quelque chose de mieux.

— Oh ! a dit Maman, après tout, si tu es content que l'on gâte ton fils, moi je ne dis plus rien.

Papa a regardé le plafond en faisant « non » avec la tête et en serrant la bouche, et puis après il m'a dit que je devrais remercier M. Moucheboume par téléphone.

— Non, a dit Maman. Ce qui se fait dans ces cas-là, c'est encore une petite lettre.

— Tu as raison, a dit Papa. Une lettre c'est préférable.

— Moi, j'aime mieux téléphoner, j'ai dit.

Parce que c'est vrai, écrire, c'est embêtant, mais téléphoner c'est rigolo, et à la maison on ne me laisse jamais téléphoner, sauf quand c'est mémé qui appelle et qui veut que je vienne lui faire des baisers. Elle aime drôlement ça, mémé, que je lui fasse des baisers par le téléphone.

— Toi, m'a dit Papa, on ne t'a pas demandé ton avis. Si on te dit d'écrire, tu écriras !

Alors là, c'était pas juste ! Et j'ai dit que je n'avais pas envie d'écrire, et que si on ne me laissait

pas téléphoner je n'en voulais pas, de ce sale jeu
de l'oie, que de toute façon j'en avais déjà un qui
était très bien et que si c'était comme ça, je préfé-
rais que M. Moucheboume donne une augmentation à Papa. C'est vrai, quoi, à la fin, non mais sans
blague !

— Tu veux une claque et aller te coucher sans
dîner ? a crié Papa.

Alors, je me suis mis à pleurer, Papa a demandé
ce qu'il avait fait pour mériter ça et Maman a dit
que si on n'avait pas un peu de calme, c'est elle qui
irait se coucher sans dîner, et qu'on se débrouille-
rait sans elle.

— Écoute, Nicolas, m'a dit Maman. Si tu es sage
et si tu écris cette lettre sans faire d'histoires, tu
pourras prendre deux fois du dessert.

Moi, j'ai dit que bon (c'était de la tarte aux abri-
cots !) et Maman a dit qu'elle allait préparer le
dîner et elle est partie dans la cuisine.

— Bon, a dit Papa. Nous allons faire un brouillon.

Il a pris un papier dans le tiroir de son bureau, un
crayon, il m'a regardé, il a mordu le crayon et il m'a
demandé :

— Voyons, qu'est-ce que tu vas lui dire, à ce
vieux Moucheboume ?

— Ben, j'ai dit, je sais pas. Je pourrais lui dire
que même si j'ai déjà un jeu de l'oie, je suis très

content parce que le sien je vais l'échanger à l'école avec les copains ; il y a Clotaire qui a une voiture bleue terrible, et...

— Oui, bon, ça va, a dit Papa. Je vois ce que c'est. Voyons... Comment allons-nous commencer ?... Cher monsieur... Non... Cher monsieur Moucheboume... Non, trop familier... Mon cher monsieur... Hmm... Non...

— Je pourrais mettre : « Monsieur Moucheboume », j'ai dit.

Papa m'a regardé, et puis il s'est levé et il a crié vers la cuisine :

— Chérie ! Cher monsieur, Mon cher monsieur, ou Cher monsieur Moucheboume ?

— Qu'est-ce qu'il y a ? a demandé Maman en sortant de la cuisine et en s'essuyant les mains dans son tablier.

Papa lui a répété, et Maman a dit qu'elle mettrait « Cher monsieur Moucheboume », mais Papa a dit que ça lui semblait trop familier et qu'il se demandait si « Cher monsieur tout court » ça ne serait pas mieux. Maman a dit que non, que « Cher monsieur tout court » c'était trop sec et qu'il ne fallait pas oublier que c'était un enfant qui écrivait. Papa a dit que justement « Cher monsieur Moucheboume » ça n'allait pas pour un enfant, que ce n'était pas assez respectueux.

— Si tu as décidé, a demandé Maman, pourquoi me déranges-tu ? J'ai mon dîner à préparer, moi.

— Oh ! a dit Papa, je te demande pardon de t'avoir dérangée dans tes occupations. Après tout, il ne s'agit que de mon patron et de ma situation !

— Parce que ta situation dépend de la lettre de Nicolas ? a demandé Maman. En tout cas, on ne fait pas tant d'histoires quand c'est Maman qui envoie un cadeau !

Alors, ça a été terrible ! Papa s'est mis à crier, Maman s'est mise à crier, et puis elle est partie dans la cuisine en claquant la porte.

— Bon, m'a dit Papa, prends le crayon et écris.

Je me suis assis au bureau et Papa a commencé la dictée :

— Cher monsieur, virgule, à la ligne... C'est avec joie... Non, efface... Attends... C'est avec plaisir... Oui, c'est ça... C'est avec plaisir que j'ai eu la grande surprise... Non... Mets l'immense surprise... Ou non, tiens, il ne faut rien exagérer... Laisse la grande surprise... La grande surprise de recevoir votre beau cadeau... Non... Là, tu peux mettre votre merveilleux cadeau... Votre merveilleux cadeau qui m'a fait tant plaisir... Ah ! non... On a déjà mis plaisir... Tu effaces plaisir... Et puis tu mets Respectueusement... Ou plutôt, Mes salutations respectueuses... Attends...

Et Papa est allé dans la cuisine, j'ai entendu crier et puis il est revenu tout rouge.

— Bon, il m'a dit, mets : « Avec mes salutations respectucuses », et puis tu signes. Voilà.

Et Papa a pris mon papier pour le lire, il a ouvert des grands yeux, il a regardé le papier de nouveau, il a fait un gros soupir et il a pris un autre papier pour écrire un nouveau brouillon.

— Tu as un papier à lettres, je crois ? a dit Papa. Un papier avec des petits oiseaux dessus, que t'a donné tante Dorothée pour ton anniversaire ?

— C'étaient des lapins, j'ai dit.

— C'est ça, a dit Papa. Va le chercher.

— Je ne sais pas où il est, j'ai dit.

Alors, Papa est monté avec moi dans ma chambre et nous nous sommes mis à chercher, et tout est tombé de l'armoire, et Maman est arrivée en courant et elle a demandé ce que nous étions en train de faire.

— Nous cherchions le papier à lettres de Nicolas, figure-toi, a crié Papa, mais il y a un désordre terrible dans cette maison ! C'est incroyable !

Maman a dit que le papier à lettres était dans le tiroir de la petite table du salon, qu'elle commençait à en avoir assez et que son dîner était prêt.

J'ai recopié la lettre de Papa et j'ai dû recommencer plusieurs fois, à cause des fautes, et puis aussi à cause de la tache d'encre. Maman est venue nous dire que tant pis, le dîner serait brûlé, et puis j'ai fait l'enveloppe trois fois, et Papa a dit qu'on pouvait aller dîner, et moi j'ai demandé un timbre à Papa, et Papa a dit « Ah ! oui », et il m'a donné un timbre, et j'ai eu deux fois du dessert. Mais Maman ne nous a pas parlé pendant le dîner.

Et c'est le lendemain soir que j'ai été drôlement inquiet pour Papa, parce que le téléphone a sonné, Papa est allé répondre et il a dit :

— Allô ?... Oui... Ah ! Monsieur Moucheboume !... Bonsoir, monsieur Moucheboume... Oui... Comment ?

Alors, Papa a fait une tête tout étonnée et il a dit :

— Une lettre ?... Ah ! c'est donc pour ça que ce petit cachottier de Nicolas m'a demandé un timbre, hier soir !

La valeur de l'argent

J'ai fait quatrième à la composition d'histoire ; on a eu Charlemagne et je le savais, surtout avec le coup de Roland et son épée qui casse pas.

Papa et Maman ont été très contents quand ils ont su que j'étais quatrième, et Papa a sorti son portefeuille et il m'a donné, devinez quoi ? Un billet de dix francs !

— Tiens, bonhomme, m'a dit Papa, demain, tu achèteras ce que tu voudras.

— Mais… Mais, chéri, a dit Maman, tu ne crois pas que c'est beaucoup d'argent pour le petit ?

— Pas du tout, a répondu Papa ; il est temps que Nicolas apprenne à connaître la valeur de l'argent. Je suis sûr qu'il dépensera ces dix nouveaux francs d'une façon raisonnable. N'est-ce pas, bonhomme ?

Moi, j'ai dit que oui, et j'ai embrassé Papa et Maman ; ils sont chouettes, et j'ai mis le billet dans ma poche, ce qui m'a obligé à dîner d'une seule main, parce qu'avec l'autre je vérifiais si le billet était toujours là. C'est vrai que jamais je n'en avais eu d'aussi gros à moi tout seul. Oh ! bien sûr, il y a des fois où Maman me donne beaucoup d'argent

24

pour faire des courses à l'épicerie de M. Compani, au coin de la rue, mais ce n'est pas à moi et Maman me dit combien de monnaie doit me rendre M. Compani. Alors, c'est pas la même chose.

Quand je me suis couché, j'ai mis le billet sous l'oreiller, et j'ai eu du mal à m'endormir. Et puis j'ai rêvé des drôles de choses, avec le monsieur qui est sur le billet et qui regarde de côté, qui se mettait à faire des tas de grimaces, et puis la grande maison qui est derrière lui devenait l'épicerie de M. Compani.

Quand je suis arrivé à l'école, le matin, avant d'entrer en classe, j'ai montré le billet aux copains.

— Eh ben, dis donc, a dit Clotaire, et qu'est-ce que tu vas en faire ?

— Je sais pas, j'ai répondu. Papa me l'a donné pour que je connaisse la valeur de l'argent, et il faut que je le dépense d'une façon raisonnable. Moi, ce que j'aimerais, c'est m'acheter un avion, un vrai.

— Tu peux pas, m'a dit Joachim, un vrai avion, ça coûte au moins mille francs.

— Mille francs ? a dit Geoffroy, tu rigoles ! Mon papa m'a dit que ça coûtait au moins trente mille francs, et un petit, encore.

Là, on s'est tous mis à rire, parce que Geoffroy, il raconte n'importe quoi, il est très menteur.

— Pourquoi n'achèterais-tu pas un atlas ? m'a dit Agnan, qui est le premier de la classe et le chouchou de la maîtresse. Il y a de belles cartes, des photos instructives, c'est très utile.

— Tu voudrais tout de même pas, j'ai dit, que je donne de l'argent pour avoir un livre ? Et puis les livres c'est toujours Tata qui me les donne pour mes anniversaires ou quand je suis malade ; j'ai pas encore fini celui que j'ai eu pour les oreillons.

Agnan, il m'a regardé, et puis il est parti sans rien dire et il s'est remis à repasser sa leçon de grammaire. Il est fou, Agnan !

— Tu devrais acheter un ballon de foot, pour qu'on puisse tous y jouer, m'a dit Rufus.

— Tu rigoles, j'ai dit. Le billet, il est à moi, je vais pas acheter des choses pour les autres. D'abord, t'avais qu'à faire quatrième en histoire si tu voulais jouer au foot.

— T'es un radin, m'a dit Rufus, et si t'as fait quatrième en histoire, c'est parce que t'es le chou-chou de la maîtresse, comme Agnan.

Mais j'ai pas pu donner une claque à Rufus, parce que la cloche a sonné et on a dû se mettre en rang pour aller en classe. C'est toujours la même chose : quand on commence à s'amuser, ding dong, il faut aller en classe. Et puis, quand on a été en rang, Alceste est arrivé en courant.

Vous êtes en retard, a dit le Bouillon, notre sur-veillant.

— C'est pas ma faute, a dit Alceste, il y avait un croissant de plus pour le petit déjeuner.

Le Bouillon a fait un gros soupir et il a dit à Alceste de se mettre en rang et d'essuyer le beurre qu'il avait sur le menton.

En classe, j'ai dit à Alceste, qui est assis à côté de moi : « T'as vu ce que j'ai ? » et je lui ai montré mon billet.

Alors, la maîtresse a crié :

— Nicolas ! Qu'est-ce que c'est que ce papier ? Apportez-le-moi immédiatement, il est confisqué.

Je me suis mis à pleurer et j'ai porté le billet à la maîtresse, qui a ouvert des grands yeux.

— Mais elle a dit, la maîtresse, qu'est-ce que vous faites avec ça ?

— Je ne sais pas encore, j'ai expliqué : c'est Papa qui me l'a donné pour le coup de Charlemagne.

La maîtresse, j'ai vu qu'elle se forçait pour ne pas rigoler ; ça lui arrive quelquefois et elle est très jolie quand elle fait ça ; elle m'a rendu le billet, elle m'a dit de le mettre dans ma poche, qu'il ne fallait pas jouer avec de l'argent et que je ne le dépense pas pour des bêtises.

29

Et puis elle a interrogé Clotaire, et je ne crois pas que son papa le payera pour la note qu'il a eue.

À la récré, pendant que les autres jouaient, Alceste m'a tiré par le bras et il m'a demandé ce que j'allais faire avec mon argent. Je lui ai dit que je ne savais pas ; alors il m'a dit qu'avec dix francs, je pourrais avoir des tas de tablettes de chocolat.

— Tu pourrais en acheter cinquante ! Cinquante tablettes, tu te rends compte ? m'a dit Alceste, vingt-cinq tablettes pour chacun !

— Et pourquoi je te donnerais vingt-cinq tablettes, j'ai demandé ; le billet, il est à moi !

— Laisse-le, a dit Rufus à Alceste, c'est un radin !

Et ils sont partis jouer, mais moi je m'en fiche, c'est vrai, quoi, à la fin, qu'est-ce qu'ils ont tous à m'embêter avec mon argent ?

Mais l'idée d'Alceste était très bonne, pour les tablettes de chocolat. D'abord, j'aime bien le chocolat, et puis je n'ai jamais eu cinquante tablettes à la fois, même chez mémé, qui me donne pourtant tout ce que je veux. C'est pour ça qu'après l'école, je suis allé en courant dans la boulangerie, et quand la dame m'a demandé ce que je voulais, je lui ai donné mon billet et je lui ai dit : « Des tablettes pour tout ça, vous devez m'en donner cinquante, m'a dit Alceste. »

La dame a regardé le billet, m'a regardé moi, et elle m'a dit :

— Où as-tu trouvé ça, mon petit garçon ?

— Je ne l'ai pas trouvé, j'ai dit, on me l'a donné.

— On t'a donné ça pour que tu achètes cinquante tablettes de chocolat ? m'a demandé la dame.

— Ben oui, j'ai répondu.

— Je n'aime pas les petits menteurs, m'a dit la dame ; tu ferais mieux de remettre ce billet où tu l'as trouvé.

Et comme elle m'a fait les gros yeux, je me suis sauvé et j'ai pleuré jusqu'à la maison.

À la maison, j'ai tout raconté à Maman ; alors elle m'a embrassé et elle m'a dit qu'elle allait arranger ça avec mon papa. Et Maman a pris le billet et elle est allée voir Papa qui était dans le salon. Et puis Maman est revenue avec une pièce de vingt centimes :

— Tu achèteras une tablette de chocolat avec ces vingt centimes, m'a dit Maman.

Et moi, j'ai été bien content. Je crois même que je vais donner la moitié de ma tablette à Alceste, parce que c'est un copain, et avec lui, on partage tout.

On a fait le marché
avec papa

Après dîner, Papa a fait les comptes du mois avec Maman.

— Je me demande où passe l'argent que je te donne, a dit Papa.

— Ah ! j'aime bien quand tu me dis ça, a dit Maman, qui pourtant n'avait pas l'air de rigoler ; et puis elle a expliqué à Papa qu'il ne se rendait pas compte de ce que coûtait la nourriture et que s'il fallait faire le marché, il comprendrait, et qu'on ne devait pas discuter devant le petit.

Papa a dit tout ça c'était des blagues, que si lui s'occupait d'aller acheter les choses, on ferait des économies et on mangerait mieux, et que le petit n'avait qu'à aller se coucher.

— Eh bien, puisque c'est comme ça, tu feras les courses, toi qui es si malin, a dit Maman.

— Parfaitement, a répondu Papa. Demain, c'est dimanche, et j'irai au marché. Tu verras comme moi je ne me laisse pas faire !

— Chic, j'ai dit, je pourrai y aller, moi aussi ! Et on m'a envoyé me coucher.

Le matin, j'ai demandé à Papa si je pouvais l'ac-

compagner et Papa a dit que oui, que c'étaient les
hommes qui faisaient le marché aujourd'hui. Moi
j'étais drôlement content, parce que j'aime bien
sortir avec mon papa, et le marché, c'est chouette.
Il y a du monde et ça crie partout, c'est comme une
grande récré qui sentirait bon. Papa m'a dit de
prendre le filet à provisions et Maman nous a dit au
revoir en rigolant.

— Tu peux rire, a dit Papa, tu riras moins quand
nous serons revenus avec de bonnes choses que
nous aurons payées à des prix abordables. C'est que
nous, les hommes, on ne se laisse pas rouler. Pas
vrai, Nicolas ?

— Ouais, j'ai dit.

Maman a continué à rigoler et elle a dit qu'elle
allait faire chauffer l'eau pour cuire les langoustes
que nous allions lui rapporter, et nous sommes allés
chercher la voiture dans le garage.

Dans l'auto, j'ai demandé à Papa si c'était vrai
que nous allions ramener des langoustes.

— Et pourquoi pas ? a dit Papa.

Là où nous avons eu du mal, c'est pour trouver
où garer. Il y avait un tas de monde qui allait au
marché. Heureusement, Papa a vu une place libre
— il a l'œil, mon papa — et il a garé.

34

— Bien, a dit Papa, nous allons prouver à ta mère que c'est facile comme tout de faire le marché, et nous allons lui apprendre à faire des économies. Pas vrai, bonhomme ?

Et puis, Papa s'est approché d'une marchande qui vendait des tas de légumes, il a regardé et il a dit que les tomates, ce n'était pas cher.

— Donnez-moi un kilo de tomates, il a demandé, Papa.

La marchande a mis cinq tomates dans le filet à provisions et elle a dit :

— Et avec ça, qu'est-ce que je vous mets ?

Papa a regardé dans le filet, et puis il a dit :

— Comment ? Il n'y a que cinq tomates dans un kilo ?

— Et qu'est-ce que vous croyez, a demandé la dame, que pour le prix vous aurez une plantation ? Les maris, quand ça vient au marché, c'est tous du pareil au même.

— Les maris, on se laisse moins rouler que nos femmes, voilà tout ! a dit Papa.

— Répétez ça un peu, si vous êtes un homme ? a

demandé la marchande, qui ressemblait à M. Pancrace, le charcutier de notre quartier.

Papa a dit : « bon, ça va, ça va » ; il m'a laissé porter le filet et nous sommes partis, pendant que la marchande parlait de Papa à d'autres marchandes.

Et puis, j'ai vu un marchand avec plein de poissons sur sa table et des grosses langoustes :

— Regarde, Papa ! Des langoustes ! j'ai crié.

— Parfait, a dit Papa, allons voir ça.

Papa, il s'est approché du marchand, et il a demandé si les langoustes étaient fraîches. Le marchand lui a expliqué qu'elles étaient spéciales. Quant à être fraîches, il pensait que oui, puisqu'elles étaient vivantes, et il a rigolé.

— Oui, bon, a dit Papa, à combien la grosse, là, qui remue les pattes ?

Le marchand lui a dit le prix et Papa a ouvert les yeux gros comme tout.

— Et l'autre, là, la plus petite ? a demandé Papa. Le marchand lui a dit le prix de nouveau et Papa a dit que c'était incroyable et que c'était une honte.

— Dites, a demandé le marchand, c'est des langoustes ou des crevettes que vous voulez acheter ? Parce que ce n'est pas du tout le même prix. Votre femme aurait dû vous prévenir.

— Viens, Nicolas, a dit Papa, nous allons chercher autre chose.

Mais moi, j'ai dit à Papa que ce n'était pas la peine d'aller ailleurs, que ces langoustes me paraissaient terribles, avec leurs pattes qui remuaient, et que la langouste c'est drôlement bon.

— Ne discute pas et viens, Nicolas, m'a dit Papa. Nous n'achèterons pas de langouste, voilà tout.

— Mais Papa, j'ai dit, Maman fait chauffer l'eau pour les langoustes, il faut en acheter.

— Nicolas, m'a dit Papa, si tu continues, tu iras m'attendre dans la voiture !

Alors là, je me suis mis à pleurer ; c'est vrai, quoi, c'est pas juste.

— Bravo, a dit le marchand, non seulement vous êtes radin et vous affamez votre famille, mais en plus, vous martyrisez ce pauvre gosse.

— Mêlez-vous de ce qui vous regarde, a crié Papa, et d'abord, on ne traite pas les gens de radins quand on est un voleur !

— Un voleur, moi ? a crié le marchand, vous voulez une baffe ?

Et il a pris une sole dans la main.

— Ça c'est bien vrai, a dit une dame ; le merlan
que vous m'avez vendu avant-hier n'était même pas
frais. Même le chat n'en a pas voulu.

— Pas frais, mon merlan ? a crié le marchand.

Alors il y a tout plein de gens qui sont venus et
nous sommes partis pendant que tous se mettaient
à discuter et que le marchand faisait des gestes avec
sa sole.

— Nous rentrons, a dit Papa, qui avait l'air nerveux et fatigué ; il se fait très tard.

— Mais, Papa, j'ai dit, nous n'avons que cinq tomates. Moi, je crois qu'une langouste…

Mais Papa ne m'a pas laissé finir, il m'a tiré par la main, et comme ça m'a surpris, j'ai lâché le filet à provisions, qui est tombé par terre. C'était gagné. Surtout qu'une grosse dame qui était derrière nous a marché sur les tomates, ça a fait « cruish », et elle nous a dit de faire attention. Quand j'ai ramassé le filet à provisions, ce qu'il y avait dedans, ça ne donnait pas faim.

— Il faudra qu'on retourne acheter d'autres tomates, j'ai dit à Papa. Pour ces cinq-là, c'est fichu.

Mais Papa n'a rien voulu entendre et nous sommes arrivés à la voiture. Là, Papa n'a pas été content à cause de la contravention.

— Décidément, c'est le jour ! il a dit.

Et puis, nous nous sommes mis dans l'auto et Papa a démarré.

— Mais fais attention où tu mets le filet, a crié Papa. J'ai plein de tomates écrasées sur mon pantalon ! Regarde un peu ce que tu fais !

Et c'est là que nous avons accroché un camion. À force de faire le guignol, ça devait arriver !

Quand nous sommes sortis du garage où on avait emmené l'auto — c'est pas grave, elle sera prête après-demain — Papa avait l'air fâché. C'est peut-être à cause des choses que lui avait dites le camionneur, un gros.

À la maison, quand Maman a vu le filet à provisions, elle allait commencer à dire quelque chose, mais Papa s'est mis à crier qu'il ne voulait pas de commentaires. Comme il n'y avait rien à manger dans la maison, Papa nous a emmenés en taxi au restaurant. C'était chouette. Papa n'a pas beaucoup mangé, mais Maman et moi on a pris de la langouste mayonnaise, comme pour le repas de communion de mon cousin Euloge. Maman a dit que Papa avait raison, que les économies avaient du bon.

J'espère que dimanche prochain, nous retournerons faire le marché avec Papa !

Les chaises

Ça a été terrible, à l'école, aujourd'hui !

Nous sommes arrivés ce matin, comme d'habitude, et quand le Bouillon (c'est notre surveillant) a sonné la cloche, nous sommes allés nous mettre en rang. Et puis tous les autres types sont montés dans leurs classes et nous, nous sommes restés seuls dans la cour de récré. On se demandait ce qui se passait, si la maîtresse était malade et si on allait nous renvoyer chez nous. Mais le Bouillon nous a dit de nous taire et de rester en rang. Et puis on a vu arriver la maîtresse et le directeur de l'école ; ils parlaient ensemble en nous regardant, et puis le directeur est parti et la maîtresse est venue vers nous.

— Les enfants, elle nous a dit, dans la nuit, une canalisation d'eau a gelé et a crevé, ce qui a inondé notre salle de classe. Des ouvriers sont en train de faire des réparations — Rufus, si ce que je dis ne vous intéresse pas, vous me ferez tout de même le plaisir de rester tranquille — et nous allons donc être obligés de faire la classe dans la buanderie. Je vous demande d'être très sages, de ne pas faire de désordre et de ne pas profiter de ce petit accident pour vous dissiper — Rufus, deuxième avertissement. En avant !

Nous, on était drôlement contents, parce que c'est amusant, quand il y a du changement à l'école. Là, par exemple, c'était chouette de suivre la maîtresse par le petit escalier en pierre qui descend vers la buanderie. L'école, on croit qu'on la connaît bien, mais il y a des tas d'endroits comme ça, où on ne va presque jamais parce que c'est défendu. Nous sommes arrivés dans la buanderie ; c'est pas très grand et il n'y a pas de meubles, sauf un évier et une chaudière avec des tas de tuyaux.

— Ah ! oui, a dit la maîtresse, il faut aller chercher des chaises dans la salle à manger.

Alors, on a tous levé le doigt et on s'est mis à crier : « Je peux y aller, mademoiselle ? Moi, mademoiselle ! Moi ! » et la maîtresse a tapé avec sa règle sur l'évier, et ça faisait moins de bruit que sur son bureau, en classe.

— Un peu de silence ! a dit la maîtresse. Si vous continuez à crier, personne n'ira chercher les chaises et nous ferons la classe debout… Voyons… vous, Agnan, et puis Nicolas, Geoffroy, Eudes, et… et… et Rufus, qui pourtant ne le mérite pas, allez dans la salle à manger, sans vous dissiper, et là-bas on vous donnera des chaises. Agnan, vous qui êtes raisonnable, je vous rends responsable de l'expédition.

Nous sommes sortis de la buanderie drôlement contents, et Rufus a dit qu'on allait bien rigoler.

— Un peu de silence ! a dit Agnan.

— Toi, le sale chouchou, on ne t'a pas sonné ! a crié Rufus. Je ferai silence quand je voudrai, non, mais sans blague !

— Non, monsieur ! non, monsieur ! a crié Agnan. Tu feras silence quand moi je voudrai, parce que la maîtresse a dit que c'était moi qui commandais, et puis je ne suis pas un sale chouchou, et je me plaindrai, tiens !

— Tu veux une gifle ? a demandé Rufus.

Et la maîtresse a ouvert la porte de la buanderie et elle nous a dit :

— Bravo ! Je vous félicite ! Vous devriez déjà être de retour et vous êtes encore en train de vous disputer devant la porte ! Maixent, prenez la place de Rufus. Rufus, vous étiez averti, retournez en classe !

Rufus a dit que ce n'était pas juste et la maîtresse lui a dit qu'il était un petit insolent, elle l'a averti encore une fois et elle lui a dit que s'il continuait elle finirait par le punir sévèrement, et Joachim a remplacé Geoffroy qui faisait des grimaces.

— Ah ! vous voici enfin ! nous a dit le Bouillon, qui nous attendait dans la salle à manger.

Et il nous a donné des chaises, on a dû faire plusieurs voyages, et comme on a fait un peu les guignols dans les couloirs et les escaliers, Clotaire a remplacé Eudes et moi j'ai été remplacé par Alceste. Mais après, j'ai remplacé Joachim, et pendant que la maîtresse ne regardait pas, Eudes a fait encore un voyage sans remplacer personne, et puis la maîtresse a dit qu'il y avait assez de chaises comme ça et qu'elle voulait un peu de calme, s'il vous plaît, et le Bouillon est arrivé avec trois chaises.

Il est drôlement fort, le Bouillon, et il a demandé s'il y avait assez de chaises comme ça, et la maîtresse a dit qu'il y en avait de trop et qu'on ne pouvait plus bouger tellement il y en avait, et qu'il faudrait en remporter, des chaises, et on a tous levé le doigt en criant : « Moi, mademoiselle ! moi ! » Mais la maîtresse a tapé avec sa règle sur la chaudière et c'est le Bouillon qui a remporté les chaises, et il a dû faire deux voyages.

— Mettez les chaises en rang, a dit la maîtresse.

Alors, on a commencé à ranger les chaises, et il y en avait partout, dans tous les sens, et la maîtresse s'est drôlement fâchée ; elle a dit que nous étions insupportables et c'est elle qui a rangé les chaises face à l'évier, et puis elle a dit de nous asseoir, et Joachim et Clotaire ont commencé à se pousser parce qu'ils voulaient tous les deux être assis sur la même chaise, dans le fond de la buanderie.

— Quoi encore ? a demandé la maîtresse. Vous savez que je commence à en avoir assez, moi ?

— C'est ma place, a expliqué Clotaire. En classe, je suis assis derrière Geoffroy.

— Peut-être, a dit Joachim, mais en classe, Geoffroy n'est pas assis à côté d'Alceste. Geoffroy n'a qu'à changer de place et tu te mettras derrière lui. Mais ça c'est ma place, près de la porte.

— Moi, je veux bien changer de place, a dit Geoffroy en se levant, mais il faudra que Nicolas me laisse sa chaise, parce que Rufus...

— Ce n'est pas un peu fini ? a dit la maîtresse. Clotaire ! Allez au coin !

— Lequel, mademoiselle ? a demandé Clotaire.

Parce que c'est vrai, en classe, Clotaire va toujours au même coin, celui qui est à gauche du tableau, mais là, dans la buanderie, tout est différent et Clotaire n'est pas encore habitué. Mais la maîtresse était drôlement nerveuse ; elle a dit à Clotaire de ne pas faire le pitre, qu'elle allait lui mettre un zéro, et Clotaire a vu que ce n'était pas le moment de faire le guignol et il a choisi le coin qui est juste de l'autre côté de l'évier ; il n'y a pas beaucoup de place, mais en se serrant, on arrive à s'y mettre au piquet. Joachim s'est assis tout content sur la chaise du fond, mais la maîtresse lui a dit que « non, mon petit ami, ce serait trop facile ; venez plutôt devant où je peux mieux vous surveiller », et Eudes a dû se lever pour donner sa place à Joachim, et pour les laisser passer on a dû tous se lever, et la maîtresse a donné des grands coups de règle contre les tuyaux de la chaudière en criant :

— Silence ! assis ! assis ! M'entendez-vous ? assis !

Et puis la porte de la buanderie s'est ouverte et le directeur est entré.

— Debout ! a dit la maîtresse.

— Assis ! a dit le directeur. Eh bien, félicitations ! Joli vacarme ! On vous entend dans toute l'école ! Ce ne sont que galopades dans les couloirs, cris, coups sur les tuyaux ! Magnifique ! Vos parents pourront être fiers de vous, bientôt, car on se conduit comme des sauvages et on finit au bagne, c'est bien connu !

— Monsieur le Directeur, a dit la maîtresse, qui est chouette comme tout et qui nous défend toujours, ils sont un peu énervés, avec ce local qui n'est pas conçu pour les recevoir, alors il y a un peu de désordre, mais ils vont être sages maintenant.

Alors, le directeur a fait un grand sourire et il a dit :

— Mais bien sûr, mademoiselle, bien sûr ! Je comprends très bien. Aussi, vous pouvez rassurer vos élèves ; les ouvriers m'ont promis que leur salle de classe sera parfaitement en état de les recevoir demain, quand ils viendront. Je pense que cette excellente nouvelle va les calmer.

Et quand il est parti, on a été contents que tout se soit si bien arrangé, jusqu'au moment où la maîtresse nous a rappelé que demain, c'était jeudi.

La lampe de poche

Comme j'ai fait septième en orthographe, Papa m'a donné de l'argent pour m'acheter ce que je voudrais, et à la sortie de l'école tous les copains m'ont accompagné au magasin où j'ai acheté une lampe de poche, parce que c'était ça que je voulais.

C'était une chouette lampe de poche que je voyais dans la vitrine chaque fois que je passais devant le magasin pour aller à l'école, et j'étais drôlement content de l'avoir.

— Mais qu'est-ce que tu vas en faire, de ta lampe de poche ? m'a demandé Alceste.

— Ben, j'ai répondu, ça sera très bien pour jouer aux détectives. Les détectives ont toujours une lampe de poche pour chercher les traces des bandits.

— Ouais, a dit Alceste, mais moi, si mon père m'avait donné un tas d'argent pour acheter quelque chose, j'aurais préféré le mille-feuille de la pâtisserie, parce que les lampes, ça s'use, tandis que les mille-feuilles, c'est bon.

Tous les copains se sont mis à rigoler et ils ont dit à Alceste qu'il était bête et que c'était moi qui avais eu raison d'acheter une lampe de poche.

— Tu nous la prêteras, ta lampe ? m'a demandé Rufus.

— Non, j'ai dit. Si vous en voulez, vous n'avez qu'à faire septièmes en orthographe, non mais sans blague !

Et nous nous sommes quittés fâchés et nous ne nous parlerons plus jamais.

À la maison, quand j'ai montré ma lampe à Maman, elle a dit :

— Tiens ? En voilà une drôle d'idée ! Enfin, au moins, avec ça tu ne nous casseras pas les oreilles. Monte faire tes devoirs, en attendant.

Je suis monté dans ma chambre, j'ai fermé les persiennes pour qu'il fasse bien noir et puis je me suis amusé à envoyer le rond de lumière partout : sur les murs, au plafond, sous les meubles et sous mon lit, où, tout au fond, j'ai trouvé une bille que je cherchais depuis longtemps et que je n'aurais jamais retrouvée si je n'avais pas eu ma chouette lampe de poche.

J'étais sous le lit quand la porte de ma chambre s'est ouverte, la lumière s'est allumée et Maman a crié :

— Nicolas ! où es-tu ?

Et quand elle m'a vu sortir de dessous le lit, Maman m'a demandé si je perdais la tête et qu'est-ce que je faisais dans le noir sous mon lit ; et quand je lui ai expliqué que je jouais avec ma lampe, elle m'a dit qu'elle se demandait où j'allais chercher des idées comme ça, que je la ferais mourir et qu'en attendant, « Regarde-moi dans quel état tu t'es mis », et « Veux-tu faire tes devoirs tout de suite, tu joueras après », et « Il a vraiment de drôles d'idées, ton père ».

Maman est sortie, j'ai éteint la lumière et je me suis mis au travail. C'est très chouette de faire les devoirs avec une lampe de poche, même si c'est de l'arithmétique ! Et puis Maman est revenue dans la chambre, elle a allumé la grosse lumière et elle n'était pas contente du tout.

— Je croyais t'avoir dit de faire tes devoirs avant de jouer ? m'a dit Maman.

— Mais j'étais en train de les faire, mes devoirs, je lui ai expliqué.

— Dans l'obscurité ? Avec cette petite lampe ridicule ? Mais tu vas te crever les yeux, Nicolas ! a crié Maman.

J'ai dit à Maman que ce n'était pas une petite lampe ridicule, et qu'elle donnait une lumière terrible, mais Maman n'a rien voulu savoir et elle a pris ma lampe, et elle a dit qu'elle me la rendrait quand j'aurais fini mes devoirs. J'ai essayé de pleurer un coup, mais je sais qu'avec Maman ça ne sert presque jamais à rien, alors j'ai fait mon problème le plus vite possible. Heureusement, c'était un problème facile et j'ai tout de suite trouvé que la poule pondait 33,33 œufs par jour.

Je suis descendu en courant dans la cuisine et j'ai demandé à Maman qu'elle me rende ma lampe de poche.

— Bon, mais sois sage, m'a dit Maman.

Et puis Papa est arrivé et je suis allé l'embrasser, et je lui ai montré ma chouette lampe de poche, et il a dit que c'était une drôle d'idée, mais qu'enfin, avec ça je ne casserais les oreilles de personne. Et puis il s'est assis dans le salon pour lire son journal.

— Je peux éteindre la lumière ? je lui ai demandé.

— Éteindre la lumière ? a dit Papa. Ça ne va pas, Nicolas ?

— Ben, c'est pour jouer avec la lampe, j'ai expliqué.

— Il n'en est pas question, a dit Papa. Et puis je ne peux pas lire mon journal dans l'obscurité, figure-toi.

— Mais justement, j'ai dit. Je te ferai de la lumière avec ma lampe de poche, ça sera très chouette !

— Non, Nicolas ! a crié Papa. Tu sais ce que ça veut dire : non ? Eh bien, non ! Et ne me casse pas les oreilles, j'ai eu une journée fatigante, aujourd'hui.

Alors, je me suis mis à pleurer, j'ai dit que c'était pas juste, que ça ne valait pas la peine de faire septième en orthographe si, après, on ne vous laissait pas jouer avec votre lampe de poche, et que si j'avais su, je n'aurais pas fait le problème avec le coup de la poule et des œufs.

— Qu'est-ce qu'il a, ton fils ? a demandé Maman, qui est venue de la cuisine.

— Oh ! rien, a dit Papa. Il veut que je lise mon journal dans le noir, ton fils, comme tu dis.

— La faute à qui ? a demandé Maman. C'était vraiment une drôle d'idée de lui acheter une lampe de poche.

— Je ne lui ai rien acheté du tout ! a crié Papa. C'est lui qui a dépensé son argent sans réfléchir ; je ne lui ai pas dit d'acheter cette lampe idiote ! Je me demande quelquefois de qui il tient cette manie de jeter l'argent par les fenêtres !

— Ce n'est pas une lampe idiote ! j'ai crié.

— Oh ! a dit Maman, j'ai compris cette fine allusion. Mais je te ferai remarquer que mon oncle a été victime de la crise, tandis que ton frère Eugène.

— Nicolas, a dit Papa, monte jouer dans ta chambre ! Tu as une chambre, non ? Alors, vas-y. Moi, j'ai à parler avec Maman.

Alors, je suis monté dans ma chambre et je me suis amusé devant la glace ; j'ai mis la lampe sous ma figure et ça fait ressembler à un fantôme, et puis j'ai mis la lampe dans ma bouche et on a les joues toutes rouges, et j'ai mis la lampe dans ma poche et on voit la lumière à travers le pantalon, et j'étais en train de chercher des traces de bandits quand Maman m'a appelé pour me dire que le dîner était prêt.

À table, comme personne n'avait l'air de rigoler, je n'ai pas osé demander qu'on éteigne la lumière pour manger, et j'espérais que les plombs sauteraient, comme ça arrive quelquefois, et tout le monde aurait été bien content de l'avoir, ma lampe, et puis, après dîner, je serais descendu avec Papa à la cave, pour lui donner de la lumière pour arranger les plombs. Il ne s'est rien passé, c'est dommage, mais heureusement il y avait de la tarte aux pommes.

Je me suis couché, et dans mon lit j'ai lu un livre avec ma lampe de poche, et Maman est entrée et elle m'a dit :

— Nicolas, tu es insupportable ! Éteins cette lampe et dors ! Ou alors, tiens, donne-moi la lampe, je te la rendrai demain matin.

— Oh ! non… oh ! non, j'ai crié.

— Qu'il la garde, sa lampe ! a crié Papa, et qu'on ait un peu de paix, dans cette maison !

Alors, Maman a fait un gros soupir, elle est partie et moi je me suis mis sous ma couverture, et là, avec la lampe, c'était chouette comme vous ne pouvez pas vous imaginer, et puis je me suis endormi.

Et quand Maman m'a réveillé, la lampe était au fond du lit, elle était éteinte et elle ne voulait plus se rallumer !

— Bien sûr, a dit Maman. La pile est usée et c'est impossible de la remplacer. Enfin, tant pis, va faire ta toilette.

Et pendant que nous prenions le petit déjeuner, Papa m'a dit :

— Écoute, Nicolas, cesse de renifler. Que cela te serve de leçon : tu as utilisé l'argent que je t'avais donné pour acheter quelque chose dont tu n'avais pas besoin et qui s'est tout de suite cassé. Ça t'apprendra à être plus raisonnable.

Eh bien, ce soir, Papa et Maman vont être drôlement contents de voir comme j'ai été raisonnable. Parce qu'à l'école j'ai échangé ma lampe qui ne marche plus contre le chouette sifflet à roulette de Rufus, qui marche très bien.

La roulette

Geoffroy, qui a un papa drôlement riche qui lui achète tout ce qu'il veut, apporte tout le temps des choses terribles à l'école.

Aujourd'hui, il est venu avec une roulette dans son cartable, et il nous l'a montrée à la récré. Une roulette, c'est une petite roue avec des numéros peints dessus, et où il y a une bille blanche.

— On fait tourner la roue, nous a expliqué Geoffroy, et quand elle s'arrête, la bille se met en face d'un des numéros ; et si on a parié que c'est en face de ce numéro qu'elle allait s'arrêter, bing ! on a gagné à la roulette.

— Ça serait trop facile, a dit Rufus. Il y a sûrement un truc.

— Moi, j'ai vu comment on y joue dans un film de cow-boys, nous a dit Maixent. Mais la roulette était truquée, alors le jeune homme sortait son revolver, il tuait tous les ennemis, il sautait par la fenêtre pour monter sur son cheval et il partait au galop, tacatac, tacatac, tacatac !

— Ah ! je savais bien qu'il y avait un truc ! a dit Rufus.

— Imbécile, a dit Geoffroy, c'est pas parce que la roulette du film de cet imbécile de Maixent était truquée, que ma roulette est truquée aussi !

— Qui est un imbécile ? ont demandé Rufus et Maixent.

— Moi, j'ai vu qu'on jouait à la roulette dans une pièce à la télé, a dit Clotaire. Il y avait une nappe sur une table avec des numéros, et les gens mettaient des fiches sur les numéros, et ils s'énervaient drôlement quand ils les perdaient, leurs fiches.

— Oui, a dit Geoffroy, dans la boîte où il y avait ma roulette, il y avait aussi une nappe verte avec des numéros et des tas de fiches, mais ma mère n'a pas voulu que j'amène tout à l'école. Mais ça ne fait rien, on pourra jouer quand même.

Et Geoffroy nous a dit qu'on n'aurait qu'à parier sur des numéros, et que lui ferait tourner la roulette, et que le numéro qui sortirait gagnerait.

— Et avec quoi on va jouer, j'ai demandé, puisqu'on n'a pas de fiches ?

— Ben, a dit Geoffroy, on a tous des sous. Alors, on va jouer avec les sous, tant pis ; on fera comme si c'étaient des fiches. Celui qui gagne prend tous les sous des copains.

— Moi, a dit Alceste, qui mangeait sa deuxième tartine de la récré, mes sous, j'en ai besoin pour acheter un petit pain au chocolat, à la sortie.

— Ben justement, a dit Joachim, si tu gagnes les sous des copains, tu pourras acheter des tas de petits pains au chocolat.

— Ah ! oui ? a dit Eudes. Alors, parce que le gros a choisi par hasard un numéro, il va se payer des petits pains au chocolat avec mes fiches ? Jamais de la vie ! C'est pas du jeu, ça !

Et Alceste, qui n'aime pas qu'on l'appelle le gros, s'est drôlement fâché, et il a dit qu'il allait gagner tout l'argent d'Eudes et qu'il mangerait les petits pains devant lui, qu'il ne lui en donnerait pas et que ça le ferait bien rigoler, non mais sans blague.

— Bon, a dit Geoffroy, ceux qui veulent pas jouer, ils jouent pas, et puis voilà ! On ne va pas passer la récré à discuter ! Choisissez vos numéros !

On s'est tous accroupis autour de la roulette, on a mis nos sous par terre et on a choisi nos numéros. Moi, j'ai pris le 12, Alceste le 6, Clotaire le 0, Joachim le 20, Maixent le 5, Eudes le 25, Geoffroy le 36 et Rufus n'a rien voulu prendre parce qu'il a dit qu'il n'allait pas perdre ses sous à cause d'une roulette truquée.

— Oh la la ! Oh la la ! Ce qu'il m'énerve, celui-là ! a crié Geoffroy. Puisque je te dis qu'elle n'est pas truquée !

— Prouve-le, a dit Rufus.

— Allez, quoi ! a crié Alceste. On y va ?

Geoffroy a fait tourner la roulette et la petite bille blanche s'est arrêtée devant le numéro 24.

— Comment, le 24 ? a dit Alceste, qui est devenu tout rouge.

— Ah ! Je vous avais bien dit qu'elle était truquée, a dit Rufus. Personne ne gagne !

— Si, monsieur, a dit Eudes. Moi je gagne ! J'avais le numéro 25, et le 25 c'est le plus près du 24.

— Mais, où est-ce que tu as joué à la roulette, toi ? a crié Geoffroy. Tu as joué le 25 et si le 25 ne sort pas, tu as perdu et puis c'est tout ! J'ai bien l'honneur de vous saluer.

— Geoffroy a raison, a dit Alceste. Personne ne gagne et on recommence.

— Minute, a dit Geoffroy, minute. Quand personne ne gagne, c'est le patron de la roulette qui ramasse tout !

— À la télé, en tout cas, c'était comme ça, a dit Clotaire.

— On t'a pas sonné, a crié Alceste, on n'est pas à la télé, ici ! Si c'est pour jouer comme ça, je reprends ma fiche et puis j'ai bien l'honneur de vous saluer.

— T'as pas le droit, tu l'as perdue, a dit Geoffroy.

— Puisque c'est moi qui l'ai gagnée, a dit Eudes.

Alors, on s'est tous mis à discuter, mais on a vu que le Bouillon et M. Mouchabière, qui sont nos surveillants, nous regardaient de l'autre bout de la cour, alors on s'est mis d'accord.

— Allez, a dit Geoffroy, la première fois, c'était pour de rire. On recommence...

— Bon, a dit Rufus. Je prends le 24.

— Je croyais que tu ne voulais pas jouer parce qu'elle était truquée, ma roulette ? a demandé Geoffroy.

— Justement, a dit Rufus. Elle est truquée pour que ce soit le 24 qui sorte, tiens ! On l'a bien vu au dernier coup.

Geoffroy a regardé Rufus, il a mis un doigt sur son front et il a commencé à visser, et avec son autre main il a fait tourner la roulette. Et puis la bille s'est arrêtée devant le numéro 24, Geoffroy s'est arrêté de visser et il a ouvert des yeux tout ronds. Rufus, qui avait un gros sourire sur sa figure, allait ramasser les sous, mais Eudes l'a poussé.

— Non, monsieur, a dit Eudes, tu vas pas ramasser ces sous. Tu as triché.

— J'ai triché, moi ? a crié Rufus. Mauvais joueur, voilà ce que tu es ! J'ai joué le 24 et j'ai gagné !

— La roulette est truquée, c'est toi-même qui l'as dit, a crié Geoffroy. Elle doit pas s'arrêter deux fois de suite sur le même numéro.

Alors, là, ça a été terrible, parce que tout le monde s'est battu avec tout le monde, et le Bouillon est arrivé avec M. Mouchabière.

— Arrêtez ! Silence ! a crié le Bouillon. Ça faisait un moment que nous vous observions, M. Mouchabière et moi-même. Regardez-moi bien dans les yeux ! Qu'est-ce que vous manigancez ? Hmm ?

— Ben, on jouait à la roulette et ils trichent tous, a dit Rufus ; j'avais gagné, et...

— Non, monsieur, tu n'avais pas gagné, a crié Alceste. Et personne ne touchera à mes sous ! J'ai bien l'honneur de vous saluer !

Une roulette ! a crié le Bouillon. Vous jouiez avec une roulette dans la cour de l'école ! Et ça, par terre ?... Mais ce sont des pièces de monnaie ! Regardez, monsieur Mouchabière, ces petits malheureux jouaient pour de l'argent ! Mais vos parents ne vous ont donc pas dit que le jeu est une abomination qui conduit à la ruine et à la prison ? Vous ne savez donc pas que rien ne dégrade l'homme comme le jeu ? Qu'une fois pris dans les griffes de cette passion, vous êtes perdus, inconscients que vous êtes ! Monsieur Mouchabière, allez sonner la fin de la récréation ; moi, je confisque cette roulette et cet argent. Et je vous donne à tous un avertissement.

À la sortie, nous sommes allés voir le Bouillon, comme chaque fois qu'il nous confisque quelque chose, pour lui demander de nous le rendre. Le Bouillon ne rigolait pas et il nous a regardés avec des yeux en colère. Il a rendu la roulette à Geoffroy en lui disant :

— Je ne félicite pas vos parents pour le genre de cadeaux qu'ils vous font. Et que je ne vous revoie plus à l'école avec ce jeu ridicule et néfaste !

Les sous, c'est M. Mouchabière qui nous les a rendus en rigolant.

La visite de mémé

Je suis drôlement content, parce que mémé vient passer quelques jours à la maison. Mémé, c'est la maman de ma maman, je l'aime beaucoup, et elle me donne tout le temps des tas de chouettes cadeaux.

Papa devait sortir plus tôt de son travail, cet après-midi, pour aller chercher mémé au train, mais mémé est arrivée toute seule en taxi.

— Maman ! a crié Maman. Mais nous ne t'attendions pas si tôt !

— Oui, a dit mémé, j'ai pris le train de 15 h 47, au lieu de celui de 16 h 13, c'est pour ça. Et j'ai pensé que ça ne valait pas la peine de dépenser une communication téléphonique pour vous prévenir... Comme tu as grandi, mon lapin ! Tu es un vrai petit homme ! Viens encore me faire un bisou. Tu sais, j'ai des surprises pour toi dans ma grosse valise, que j'ai laissée à la consigne !... À propos, et ton mari, où est-il ?

— Eh bien, a répondu Maman, justement, il est allé te chercher à la gare, le pauvre !

Mémé, ça l'a fait beaucoup rire, ça, et elle rigolait encore quand Papa est arrivé.

— Dis mémé ! j'ai crié. Dis mémé ! Et les cadeaux ?

— Nicolas ! Veux-tu te taire ! Tu n'as pas honte ? m'a dit Maman.

— Mais il a parfaitement raison, mon petit ange, a dit mémé. Seulement, comme personne ne m'attendait à la gare, j'ai préféré laisser ma valise à la consigne ; elle est très lourde. J'ai pensé, gendre, que vous pourriez aller la chercher...

Papa a regardé mémé, et il est ressorti sans rien dire. Quand il est revenu, il avait l'air un peu fatigué. C'est que la valise de mémé était très lourde et très grosse, et Papa devait la porter avec les deux mains.

— Qu'est-ce que vous transportez là-dedans ? a demandé Papa. Des enclumes ?

Papa s'était trompé ; mémé n'avait pas apporté d'enclumes, mais il y avait un jeu de constructions pour moi, et un jeu de l'oie (j'en ai déjà deux), et un ballon rouge, et une petite auto, et un camion de pompiers, et une toupie qui fait de la musique.

— Mais tu l'as trop gâté ! a crié Maman.

— Trop gâté, mon Nicolas ? Mon petit chou ? Mon ange ? a dit mémé. Jamais de la vie ! Viens me faire un bisou, Nicolas !

Après le bisou, mémé a demandé où elle dormirait, pour pouvoir commencer à ranger ses affaires.

— Le lit de Nicolas est trop petit, a dit Maman. Il y a, bien sûr, le sofa du salon, mais je me demande si tu ne serais pas mieux avec moi, dans la chambre...

— Mais non, mais non, a dit mémé. Je serai très bien sur le sofa. Ma sciatique ne me fait presque plus souffrir du tout.

— Non, non, non ! a dit Maman. Nous ne pouvons pas te laisser dormir sur le sofa ! N'est-ce pas, chéri ?

— Non, a dit Papa en regardant Maman.

Papa a monté la valise de mémé dans la chambre, et pendant que mémé rangeait ses affaires, il est redescendu dans le salon, et comme il fait toujours, il s'est assis dans le fauteuil avec son journal, et moi j'ai joué avec la toupie, et c'est pas trop rigolo, parce que c'est un jouet de bébé.

— Tu ne peux pas aller faire ça plus loin ? m'a demandé Papa.

Et mémé est arrivée, elle s'est assise sur une chaise, et elle m'a demandé si elle me plaisait bien, la toupie, et si je savais la faire marcher. Moi j'ai montré à mémé que je savais, et mémé a été très étonnée et drôlement contente, et elle m'a demandé de lui donner un bisou. Après, elle a demandé à Papa de lui prêter le journal, parce qu'elle n'avait pas eu le temps de l'acheter avant le départ du train. Papa s'est levé, il a donné le journal à mémé, qui s'est assise dans le fauteuil de Papa, parce que la lumière est meilleure pour lire.

— À table ! a crié Maman.

Nous sommes allés dîner, et c'était terrible ! Maman avait fait un poisson froid avec des tas de mayonnaise (j'aime beaucoup la mayonnaise), et puis il y a eu du canard avec des petits pois, et puis du fromage, et puis un gâteau à la crème, et puis des fruits, et mémé m'a laissé reprendre de tout deux fois, et même, pour le gâteau, après la deuxième fois, elle m'a donné un bout du sien.

— Il va être malade, a dit Papa.

— Oh, pour une fois, ça ne peut pas lui faire du mal, a dit mémé.

Et puis, mémé a dit qu'elle était très fatiguée par le voyage, et qu'elle voulait se coucher de bonne heure. Elle a donné des bisous à tout le monde, et puis Papa a dit que lui aussi il était très fatigué, qu'il devait être de bonne heure le lendemain à son bureau, parce qu'il était parti très tôt aujourd'hui pour chercher mémé à la gare, et tout le monde est allé se coucher.

J'ai été très malade pendant la nuit, et le premier qui est venu, c'est Papa qui est monté du salon en courant. Mémé, qui s'était réveillée aussi, était très inquiète, elle a dit que c'était pas normal, et elle a demandé si on avait consulté un docteur au sujet du petit. Et puis je me suis endormi.

Ce matin, Maman est venue me réveiller, et Papa est entré dans ma chambre.

— Tu ne pourrais pas dire à ta mère de se dépêcher ? a demandé Papa. Ça fait une heure qu'elle est dans la salle de bains ! Je me demande ce qu'elle peut bien y faire !

— Elle prend son bain, a dit Maman. Elle a le droit de prendre son bain, non ?

71

— Mais je suis pressé, moi ! a crié Papa. Elle ne va nulle part, elle ! Moi, je dois aller à mon bureau ! Je vais être en retard !

— Tais-toi, a dit Maman. Elle va t'entendre !

— Qu'elle m'entende ! a crié Papa. Après la nuit que j'ai passée sur ce sofa de malheur, je...

— Pas devant le petit ! a dit Maman, qui est devenue toute rouge et fâchée. Oh, et puis d'ailleurs, j'ai bien vu depuis qu'elle est arrivée, que tu avais l'intention d'être désagréable avec elle ! Bien sûr, quand il s'agit de ma famille, c'est toujours la même chose. Par contre, ton frère Eugène, par exemple...

— Bon, bon, ça va, a dit Papa. Laisse Eugène tranquille, et demande à ta mère de te passer mon rasoir et le savon. J'irai faire ma toilette dans la cuisine.

Quand Papa est arrivé pour le petit déjeuner, mémé et moi, nous étions déjà à table.

— Dépêche-toi, Nicolas, m'a dit Papa. Toi aussi, tu vas être en retard !

— Comment ? a dit mémé. Vous allez l'envoyer à l'école après la nuit qu'il a passée ? Mais regardez-le, enfin ! Il est tout pâlot, le pauvre chou. N'est-ce pas que tu es fatigué, mon lapin ?

— Oh oui, j'ai dit.

— Ah, vous voyez ? a dit mémé. Moi, je crois tout de même que vous devriez consulter un docteur à son sujet.

— Non, non, a dit Maman, qui entrait avec le café. Nicolas ira à l'école !

Alors moi je me suis mis à pleurer, j'ai dit que j'étais très fatigué et drôlement pâle, Maman m'a grondé, mémé a dit qu'elle ne voulait pas se mêler de ce qui ne la regardait pas, mais qu'elle pensait que ce ne serait pas un drame si je n'allais pas à l'école pour une fois, et qu'elle n'avait pas si souvent l'occasion de voir son petit-fils, et Maman a dit que bon, bon, pour cette fois seulement, mais qu'elle n'était pas contente du tout, et mémé a dit que je lui donne un bisou.

— Bon, a dit Papa, je file. J'essaierai de ne pas rentrer trop tard, ce soir.

— En tout cas, a dit mémé, surtout, ne changez rien à vos habitudes pour moi. Faites comme si je n'étais pas là.

Leçon de code

Quelquefois, en allant à l'école, on se retrouve à plusieurs copains, et là on rigole bien. On regarde les vitrines, on se fait des croche-pieds, on fait tomber les cartables, et puis après, on est en retard, et il faut drôlement courir pour arriver à l'école, comme cet après-midi avec Alceste, Eudes, Rufus et Clotaire, qui habitent pas loin de chez moi.

Nous courions en traversant la rue pour entrer dans l'école (la cloche avait déjà sonné), quand Eudes a fait un croche-pied à Rufus, qui est tombé, qui s'est relevé et qui a dit à Eudes : « Viens un peu ici, si t'es un homme ! » Mais Eudes et Rufus n'ont pas pu se battre, parce que l'agent de police qui est là pour empêcher les autos de nous écraser, s'est fâché ; il nous a tous appelés au milieu de la rue, et il nous a dit :

— Qu'est-ce que c'est que cette façon de traverser ? On ne vous apprend donc rien à l'école ? Vous allez finir par vous faire écraser à faire les pitres sur la chaussée. Ça m'étonne surtout de ta part, Rufus ; j'ai bien envie d'en parler à ton père !

Le père de Rufus est agent de police, et tous les

agents de police connaissent le père de Rufus, et des fois c'est bien embêtant pour Rufus.

— Oh ! non, m'sieur Badoule, a dit Rufus. Je ne le referai plus ! Et puis c'est la faute à Eudes, c'est lui qui m'a fait tomber !

— Cafard ! a crié Eudes.

— Viens un peu ici, si t'es un homme ! a crié Rufus.

— Silence ! a crié l'agent de police. Ça ne peut plus continuer comme ça ; je vais m'occuper de cette affaire. En attendant, allez à l'école, vous êtes en retard. Nous sommes entrés dans l'école, et l'agent de police a fait avancer les autos qui attendaient.

Quand nous sommes revenus de la récré, pour la dernière heure de classe de l'après-midi, la maîtresse nous a dit :

— Les enfants, nous n'allons pas faire de grammaire, comme le prévoit notre emploi du temps...

On a tous fait : « Ah ! », sauf Agnan, qui est le chouchou de la maîtresse et qui sait toujours ses leçons ; la maîtresse a tapé avec sa règle sur son bureau, et puis elle a dit :

— Silence ! Nous n'allons pas faire de grammaire, parce qu'il est arrivé tout à l'heure un incident très grave : l'agent de police qui veille sur votre sécurité est allé se plaindre à M. le Directeur. Il lui a dit que vous traversiez les rues comme des petits sauvages, en courant et en faisant les pitres, mettant ainsi votre vie en danger. Je dois dire que, moi-même, je vous ai souvent vus courir étourdiment dans les rues. Donc, et pour votre bien, M. le Directeur m'a demandé de vous faire une leçon sur le Code de la route. Geoffroy, si ce que je dis ne vous

intéresse pas, ayez au moins la politesse de ne pas dissiper vos camarades. Clotaire ! Qu'est-ce que je viens de dire ?

Clotaire est allé se mettre au piquet, la maîtresse a fait un gros soupir, et elle a demandé :

— Est-ce qu'un de vous peut me dire ce qu'est le Code de la route ?

Agnan, Maixent, Joachim, moi et Rufus, nous avons levé le doigt.

— Eh bien ! Maixent ? a dit la maîtresse.

— Le Code de la route, a dit Maixent, c'est un petit livre qu'on vous donne à l'auto-école et qu'il faut apprendre par cœur pour passer son permis. Ma mère en a un. Mais elle n'a pas eu son permis, parce qu'elle a dit que l'examinateur lui a posé des questions qui n'étaient pas dans le livre…

— Bon ! ça va, Maixent, a dit la maîtresse.

— … Et puis ma mère a dit qu'elle allait changer d'auto-école, parce qu'on lui avait promis qu'elle aurait son permis, et…

— J'ai dit : bon ! Maixent. Asseyez-vous ! a crié la maîtresse. Baissez votre bras, Agnan, je vous interrogerai plus tard. Le Code de la route, c'est l'ensemble des règles qui régissent la sécurité des usagers de la route. Non seulement pour les automobilistes, mais aussi pour les piétons. Pour devenir un bon automobiliste, il faut d'abord être un bon piéton. Et je pense que vous voulez tous devenir de bons automobilistes, n'est-ce pas ? Alors, voyons… Qui peut me dire quelles sont les précautions à prendre pour traverser une rue ?… Oui, vous, Agnan.

— Bah ! a dit Maixent. Lui, il ne traverse jamais seul. C'est sa mère qui l'amène à l'école. Et elle lui donne la main !

— C'est pas vrai ! a crié Agnan. Je suis déjà venu seul à l'école. Et elle me donne pas la main !

— Silence ! a crié la maîtresse. Si vous continuez tous comme ça, nous allons faire de la grammaire, et tant pis pour vous si, plus tard, vous n'êtes pas capables de conduire convenablement une auto. En attendant, Maixent, vous allez me conjuguer le verbe : « Je dois faire bien attention en traversant les rues et veiller à ce que le passage soit libre, et ne pas m'engager sur la chaussée en courant étourdiment. »

La maîtresse est allée au tableau, et elle nous a fait un dessin, avec quatre lignes qui se croisaient.

— Ça, c'est un carrefour, a expliqué la maîtresse. Pour traverser, vous devez emprunter les passages réservés aux piétons, là, là, là et là. S'il y a un agent de police, vous devez attendre qu'il vous fasse signe de traverser. S'il y a des feux de signalisation, vous devez les observer et ne traverser que quand le feu est vert pour vous. Dans tous les cas, vous devez regarder à droite et à gauche, avant de vous engager sur la chaussée, et surtout, surtout, ne jamais courir. Nicolas, répétez ce que je viens de dire.

Moi, j'ai répété, et j'ai presque tout dit, sauf pour le coup des feux, et la maîtresse a dit que c'était bien, et elle m'a mis 18. Agnan a eu 20, et presque tous les autres ont eu entre 15 et 18, sauf Clotaire qui, comme il était au piquet, a dit qu'il ne savait pas que lui aussi devait écouter.

Et puis le directeur est entré.

— Debout ! a dit la maîtresse.

— Assis ! a dit le directeur. Eh bien ! mademoiselle, vous avez fait la leçon de Code à vos élèves ?

— Oui, monsieur le Directeur, a dit la maîtresse.
Ils ont été très sages, et je suis sûre qu'ils ont très
bien compris.

Alors le directeur a fait un gros sourire et il a dit :

— Très bien. Parfait ! J'espère que je n'aurai
plus de plaintes de la police au sujet de la conduite
de mes élèves. Enfin, nous verrons tout ça dans la
pratique.

Le directeur est sorti ; nous nous sommes rassis,
et puis la cloche a sonné ; nous nous sommes levés
pour sortir, mais la maîtresse nous a dit :

— Pas si vite, pas si vite ! Vous allez descendre
gentiment, et je veux vous voir traverser la rue.
Nous verrons si vous avez compris la leçon.

Nous sommes sortis de l'école avec la maîtresse,
et l'agent de police, quand il nous a vus, il a fait un
sourire. Il a arrêté les autos, et il nous a fait signe de
passer.

— Allez-y, les enfants, nous a dit la maîtresse. Et
sans courir ! Je vous observe d'ici.

Alors, nous avons traversé la rue, tout douce-
ment, les uns derrière les autres, et quand nous
sommes arrivés de l'autre côté, nous avons vu la
maîtresse qui parlait avec l'agent de police, sur le
trottoir, en rigolant, et le directeur qui nous regardait de la fenêtre de son bureau.

— Très bien ! nous a crié la maîtresse. M. l'Agent
et moi sommes très contents de vous. À demain, les
enfants.

Alors nous avons tous retraversé la rue en courant pour lui donner la main.

Leçon de choses

Demain, nous a dit la maîtresse, nous aurons une leçon de choses tout à fait spéciale ; chacun de vous devra apporter un objet, un souvenir de voyage, de préférence. Nous commenterons chaque objet, nous l'étudierons, et chacun d'entre vous nous expliquera son origine et les souvenirs qui s'y rattachent. Ce sera, à la fois, une leçon de choses, un cours de géographie et un exercice de rédaction.

— Mais quel genre de chose il faudra apporter, mademoiselle ? a demandé Clotaire.

— Je vous l'ai déjà dit, Clotaire, a répondu la maîtresse. Un objet intéressant, qui ait une histoire. Tenez, ça fait de cela quelques années, un de mes élèves a apporté un os de dinosaure, que son oncle avait trouvé en faisant des fouilles. Un de vous peut-il me dire ce qu'est un dinosaure ?

Agnan a levé la main, mais on s'est tous mis à parler des choses qu'on apporterait, et avec le bruit que faisait la maîtresse en tapant avec sa règle sur son bureau, on n'a pas pu entendre ce que racontait ce sale chouchou d'Agnan.

En arrivant à la maison, j'ai dit à Papa qu'il fallait que j'apporte à l'école une chose qui serait un souvenir terrible de voyage.

— C'est une bonne idée, ces cours pratiques, a dit Papa. La vue des objets rend la leçon inoubliable. Elle est très bien, ta maîtresse, très moderne. Maintenant, voyons... Qu'est-ce que tu pourrais bien emmener ?

— La maîtresse a dit, j'ai expliqué, que ce qu'il y avait de plus chouette, c'était les os de dinosaure.

Papa a ouvert des yeux tout étonnés et il m'a demandé :

— Des os de dinosaure ? En voilà une idée ! Et d'où est-ce que tu veux que je sorte des os de dinosaure ? Non, Nicolas, je crains fort qu'il ne faille nous contenter de quelque chose de plus simple.

Alors, moi j'ai dit à Papa que je ne voulais pas apporter des choses simples, que je voulais apporter des choses qui épateraient drôlement les copains, et Papa m'a répondu qu'il n'avait pas de choses pour épater les copains. Alors moi, j'ai dit que, puisque c'était comme ça, c'était pas la peine d'apporter des choses qui n'épateraient personne et que j'aimais mieux ne pas aller à l'école demain, et Papa m'a répondu qu'il commençait à en avoir assez, et qu'il avait bien envie de me priver de dessert, et que ma maîtresse avait vraiment des drôles d'idées ; et moi, j'ai donné un coup de pied dans le fauteuil du salon. Papa m'a demandé si je voulais une claque, je me suis mis à pleurer, et Maman est arrivée en courant de la cuisine.

— Quoi encore ? a demandé Maman. Je ne peux pas vous laisser tous les deux seuls sans qu'il y ait des histoires. Nicolas ! Cesse de pleurer. Que se passe-t-il ?

— Il se passe, a dit Papa, que ton fils est furieux parce que je lui refuse un os de dinosaure.

Maman nous a regardés, Papa et moi, et elle a demandé si tout le monde était en train de devenir fou dans cette maison. Alors Papa lui a expliqué, et Maman m'a dit :

— Mais enfin, Nicolas, il n'y a pas de quoi en faire un drame. Tiens, il y a, dans le placard, des souvenirs très intéressants de nos voyages. Par exemple, le gros coquillage que nous avons acheté à Bains-les-Mers, quand nous y sommes allés en vacances.

— C'est vrai ça ! a dit Papa. Ça vaut tous les os de dinosaure du monde, ce coquillage !

Moi, j'ai dit que je ne savais pas si le coquillage épaterait les copains, mais Maman m'a dit qu'ils trouveraient ça formidable et que la maîtresse me féliciterait. Papa est allé chercher le coquillage, qui est très gros, avec « Souvenir de Bains-les-Mers » écrit dessus, et Papa m'a dit que je pourrais épater tout le monde en racontant nos vacances à Bains-les-Mers, notre excursion à l'île des Embruns et même le prix qu'on payait à la pension. Et si ça, ça n'épatait pas les copains, c'est que les copains étaient difficiles à épater. Maman a rigolé, elle a dit qu'on passe à table et, le lendemain, je suis parti à l'école, fier comme tout, avec mon coquillage enveloppé dans du papier marron.

Quand je suis arrivé à l'école, tous les copains étaient là, et ils m'ont demandé ce que j'avais apporté.

— Et vous ? j'ai demandé.

— Ah, moi, je le montrerai en classe, m'a répondu Geoffroy, qui aime bien faire des mystères.

Les autres non plus ne voulaient rien dire, sauf Joachim, qui nous a montré un couteau, le plus chouette qu'on puisse imaginer.

— C'est un coupe-papier, nous a expliqué Joachim, que mon oncle Abdon a rapporté de Tolède, en cadeau pour mon père. C'est en Espagne.

Et le Bouillon — c'est notre surveillant, mais ce n'est pas son vrai nom — a vu Joachim et il lui a confisqué le coupe-papier, en disant qu'il avait déjà interdit mille fois qu'on amène des objets dangereux à l'école.

— Mais, m'sieur, a crié Joachim, c'est la maîtresse qui m'a dit de l'apporter !

— Ah ? a dit le Bouillon. C'est la maîtresse qui vous a demandé d'apporter cette arme en classe ? Parfait. Alors, non seulement je confisque cet objet, mais vous allez me conjuguer le verbe :

« Je ne dois pas mentir à M. le Surveillant quand celui-ci me pose une question au sujet d'un objet particulièrement dangereux que j'ai introduit clandestinement dans l'école. » Inutile de crier, et vous autres, taisez-vous, si vous ne voulez pas que je vous punisse aussi !

Et le Bouillon est allé sonner la cloche, nous nous sommes mis en rang et, quand nous sommes entrés en classe, Joachim pleurait toujours.

— Ça commence bien, a dit la maîtresse. Eh bien, Joachim, que se passe-t-il ?

Joachim lui a expliqué, la maîtresse a poussé un soupir, elle a dit que d'apporter un couteau n'était pas une très bonne idée, mais qu'elle essaierait d'arranger ça avec M. Dubon, et ça, c'est le vrai nom du Bouillon.

— Bon, a dit la maîtresse. Voyons un peu ce que vous avez apporté. Mettez les objets devant vous, sur votre pupitre.

Alors on a tous sorti les choses qu'on avait apportées : Alceste avait amené un menu d'un restaurant où il avait très bien mangé avec ses parents, en Bretagne ; Eudes avait une carte postale de la côte d'Azur ; Agnan, un livre de géographie que ses parents lui avaient acheté en Normandie ; Clotaire a apporté une excuse, parce qu'il n'avait pas bien compris, il croyait qu'il fallait apporter des os ; et Maixent et Rufus, ces imbéciles, ont apporté chacun un coquillage.

— Oui, a dit Rufus, mais moi, j'ai trouvé le mien sur la plage, la fois où j'ai sauvé un homme qui se noyait.

— Ne me fais pas rigoler, a crié Maixent. D'abord, tu ne sais même pas faire la planche, et puis après, si tu l'as trouvé sur la plage, ton coquillage, pourquoi est-ce qu'il y a écrit dessus : « Souvenir de Plage-des-Horizons » ?

— Ouais ! j'ai crié.

— Tu veux une baffe ? m'a demandé Rufus.

— Rufus, sortez ! a crié la maîtresse. Et vous serez en retenue jeudi. Nicolas, Maixent, tenez-vous tranquilles si vous ne voulez pas être punis aussi !

— Moi, j'ai apporté un souvenir de Suisse, a dit Geoffroy avec un gros sourire, tout fier. C'est une montre en or que mon père a achetée là-bas.

— Une montre en or ! a crié la maîtresse. Et votre père sait que vous l'avez apportée à l'école ?

— Ben non, a dit Geoffroy. Mais quand je lui dirai que c'est vous qui m'avez demandé de l'amener, il ne me grondera pas.

— Que c'est moi qui ?... a crié la maîtresse. Petit inconscient ! Vous allez me faire le plaisir de remettre ce bijou dans votre poche !

— Moi, si je ramène pas mon coupe-papier, mon père va drôlement me gronder, a dit Joachim.

— Je vous ai déjà dit, Joachim, que je m'occuperai de cette affaire, a crié la maîtresse.

— Mademoiselle, a crié Geoffroy. Je ne retrouve plus la montre ! Je l'ai mise dans ma poche, comme vous me l'avez dit, et je ne la retrouve plus !

— Mais enfin, Geoffroy, a dit la maîtresse, elle ne peut pas être bien loin. Vous avez cherché par terre ?

— Oui, mademoiselle, a répondu Geoffroy. Elle n'y est pas.

Alors la maîtresse est allée vers le banc de

Geoffroy, elle a regardé partout, et puis elle nous a demandé de regarder aussi, en faisant attention de ne pas marcher sur la montre, et Maixent a fait tomber mon coquillage par terre, alors je lui ai donné une baffe. La maîtresse s'est mise à crier, elle nous a donné des retenues, et Geoffroy a dit que si on ne retrouvait pas sa montre, il faudrait que la maîtresse aille parler à son père, et Joachim a dit qu'il faudrait qu'elle aille parler au sien aussi, pour le coup du coupe-papier.

Mais tout s'est très bien arrangé, parce que la montre, Geoffroy l'a retrouvée dans la doublure de son veston, le Bouillon a rendu le coupe-papier à Joachim et la maîtresse a levé les punitions.

C'était une classe très intéressante, et la maîtresse a dit que, grâce aux choses que nous avions apportées, elle n'oublierait jamais cette leçon.

À la bonne franquette

Moucheboume va venir dîner ce soir à la maison. M. Moucheboume c'est le patron de Papa, et il va venir avec Mme Moucheboume, qui est la femme du patron de Papa.

Ça fait des jours qu'on en parle à la maison du dîner de ce soir, et ce matin, Papa et Maman étaient très énervés. Maman était occupée comme tout, et Papa hier l'a emmenée au marché en auto, et ça, il ne le fait pas souvent. Moi je trouve ça très chouette, on dirait que c'est Noël, surtout quand Maman dit qu'elle ne sera jamais prête à temps.

Et quand je suis revenu de l'école ce soir, la maison était toute drôle, balayée et sans housses. Je suis entré dans la salle à manger, et il y avait la rallonge à la table, et la nappe blanche toute dure, et au-dessus, les assiettes qui ont de l'or tout autour et dont on ne se sert presque jamais pour manger dedans. Et puis, devant chaque assiette, il y avait des tas de verres, même les longs tout minces, et ça ça m'a étonné, parce que ceux-là, on ne les sort jamais du buffet. Et puis, j'ai rigolé, j'ai vu qu'avec tout ça, Maman avait oublié de mettre un couvert.

Alors je suis entré en courant dans la cuisine, et là j'ai vu que Maman parlait avec une dame habillée en noir avec un tablier blanc. Maman était jolie comme tout avec les cheveux drôlement bien peignés.

— Maman ! j'ai crié. Tu as oublié de mettre une assiette à table !

Maman a poussé un cri, et puis elle s'est retournée d'un coup.

— Nicolas ! m'a dit Maman, je t'ai déjà demandé de ne pas hurler comme ça, et de ne pas entrer dans la maison comme un sauvage. Tu m'as fait peur, et je n'ai pas besoin de ça pour m'énerver.

Alors moi j'ai demandé pardon à Maman ; c'est vrai qu'elle avait l'air énervée, et puis je lui ai expliqué de nouveau le coup de l'assiette qui manquait à table.

— Mais non, il ne manque pas d'assiette, m'a dit Maman. Va faire tes devoirs, et laisse-moi tranquille.

— Mais si, il manque une assiette, j'ai dit. Il y a moi, il y a Papa, il y a toi, il y a M. Moucheboume, et puis il y a Mme Moucheboume ; ça fait cinq, et il n'y a que quatre assiettes, alors quand on va aller manger, si toi, ou Papa, ou M. Moucheboume, ou Mme Moucheboume n'avez pas d'assiette, ça va faire des histoires !

Maman a fait un gros soupir, elle s'est assise sur le tabouret, elle m'a pris par les bras, et elle m'a dit que toutes les assiettes étaient là, que j'allais être très raisonnable, qu'un dîner comme ça était très ennuyeux, et que c'est pour ça que moi je mangerais pas à table avec les autres. Alors moi je me suis mis à pleurer, et j'ai dit que c'était pas ennuyeux du

tout un dîner comme ça, que ça m'amuserait drôlement au contraire, et que si on ne me laissait pas
m'amuser avec les autres, je me tuerais ; c'est vrai,
quoi, à la fin, non mais sans blague !

Et puis Papa est entré, de retour de son bureau.

— Alors, il a demandé, tout est prêt ?

— Non, c'est pas prêt, j'ai crié. Maman ne veut
pas mettre mon assiette à table pour que je rigole
avec vous ! Et c'est pas juste ! C'est pas juste ! C'est
pas juste !

— Oh ! Et puis j'en ai assez à la fin, a crié
Maman. Ça fait des jours que je travaille pour ce
dîner et que je me fais du souci ! C'est moi qui n'irai
pas à table ! Tiens ! C'est ça ! Moi je n'irai pas à
table ! Voilà ! Nicolas prendra ma place, et voilà
tout ! Parfaitement ! Moucheboume ou pas Moucheboume, j'en ai assez ! Débrouillez-vous sans moi !

Et Maman est partie en claquant la porte de la
cuisine, et moi ça m'a tellement étonné, que j'ai

cessé de pleurer. Papa s'est passé la main sur la figure, et il a profité que le tabouret était libre pour s'asseoir dessus, et puis il m'a pris par les bras.

— Bravo Nicolas, bravo ! m'a dit Papa. Tu as réussi à faire de la peine à Maman. C'est ça que tu voulais ?

Moi j'ai dit que non, que je ne voulais pas faire de la peine à Maman, que ce que je voulais c'était de rigoler à table avec les autres. Alors Papa m'a dit qu'à table ce serait très ennuyeux, et que si je ne faisais pas d'histoires et je mangeais à la cuisine, demain, il m'emmènerait au cinéma, et puis au zoo, et puis on irait goûter, et puis j'aurais une surprise.

— La surprise ce sera la petite auto bleue qui est dans la vitrine du magasin du coin ? j'ai demandé.

Papa m'a dit que oui, alors j'ai dit que j'étais d'accord, parce que j'aime bien les surprises et faire plaisir à Papa et à Maman. Et puis Papa est allé chercher Maman, et il est revenu avec elle dans la cuisine et il lui a dit que tout était arrangé et que j'étais un homme. Et Maman a dit qu'elle était sûre que j'étais un grand garçon et elle m'a embrassé. Très chouette. Et puis Papa a demandé s'il pouvait voir le hors-d'œuvre, et la dame en noir avec le tablier blanc a sorti de la glacière un homard ter- rible avec de la mayonnaise partout, comme celui de la première communion de ma cousine Félicité, la fois où j'ai été malade, et j'ai demandé si je pou- vais en avoir, mais la dame en noir avec le tablier blanc a remis le homard dans la glacière et elle a dit que ce n'était pas pour les petits garçons. Papa a rigolé, et il a dit que j'en aurais demain matin avec mon café, s'il en restait, mais qu'il ne fallait pas trop y compter.

On m'a donné à manger sur la table de la cuisine, et j'ai eu des olives, des petites saucisses chaudes, des amandes, un vol-au-vent, et un peu de salade de fruits. Pas mal.

— Bon, et maintenant, a dit Maman, tu vas aller te coucher. Tu vas mettre le pyjama propre, le jaune, et comme il est tôt, tu peux lire. Quand M. et Mme Moucheboume viendront, j'irai te chercher pour que tu descendes leur dire bonjour.

— Euh... Tu crois que c'est bien nécessaire ? a demandé Papa.

— Mais bien sûr, a dit Maman. Nous étions d'accord sur ce sujet.

— C'est que, a dit Papa, j'ai peur que Nicolas fasse des gaffes.

— Nicolas est un grand garçon et il ne fera pas de gaffes, a dit Maman.

— Nicolas, m'a dit Papa. Ce dîner est très important pour Papa. Alors, tu seras très poli, tu diras bonjour, bonsoir, tu ne répondras que quand on t'interrogera, et surtout, pas de gaffes. Promis ?

Moi j'ai promis, c'est drôle que Papa soit si inquiet. Et puis je suis allé me coucher. Plus tard j'ai entendu qu'on sonnait à la porte, qu'on criait, et puis Maman est venue me chercher.

— Mets la robe de chambre que t'a donnée mémé pour ton anniversaire et viens, m'a dit Maman.

J'étais en train de lire une chouette histoire de cow-boys, alors j'ai dit que je n'avais pas trop envie de descendre, mais Maman m'a regardé avec de gros yeux, et j'ai vu que ce n'était pas le moment de rigoler.

Quand nous sommes arrivés dans le salon, M. et

Mme Moucheboume étaient là, et quand ils m'ont vu, ils se sont mis à pousser des tas de cris.

— Nicolas a tenu absolument à descendre pour vous voir, a dit Maman. Vous m'excuserez, mais je n'ai pas voulu le priver de cette joie.

M. et Mme Moucheboume ont encore poussé des tas de cris, moi j'ai donné la main, j'ai dit bonsoir, Mme Moucheboume a demandé à Maman si j'avais fait ma rougeole, M. Moucheboume a demandé si ce grand garçon travaillait bien à l'école, et moi je faisais bien attention parce que Papa me regardait tout le temps. Et puis, je me suis assis sur une chaise, pendant que les grands parlaient.

— Vous savez, a dit Papa, nous vous recevons sans façon, à la bonne franquette.

— Mais c'est ça qui nous fait plaisir, a dit M. Moucheboume. Une soirée en famille, c'est merveilleux ! Surtout pour moi, qui suis obligé d'aller à tous ces banquets, avec l'inévitable homard mayonnaise, et tout le tralala.

Tout le monde a rigolé, et puis Mme Mouche-boume a dit qu'elle s'en voudrait d'avoir donné du travail à Maman, qui devait déjà être tellement occupée avec sa petite famille. Mais Maman a dit que non, que c'était un plaisir, et qu'elle avait été bien aidée par la bonne.

— Vous avez de la chance, a dit Mme Mouche-boume. Moi j'ai un mal avec les domestiques ! C'est bien simple, chez moi, elles ne restent pas.

— Oh, celle-ci est une perle, a dit Maman. Elle est depuis longtemps avec nous, et, ce qui est très important, elle adore l'enfant.

Et puis, la dame en noir avec le tablier blanc est entrée et elle a dit que Maman était servie. Et ça, ça m'a étonné, parce que je ne savais pas que Maman non plus ne mangeait pas avec les autres.

— Bon, Nicolas, au lit ! m'a dit Papa.

Alors, j'ai donné la main à Mme Moucheboume et je lui ai dit : « au revoir madame », j'ai donné la main à M. Moucheboume et je lui ai dit : « au revoir monsieur », j'ai donné la main à la dame en noir avec le tablier blanc et je lui ai dit : « au revoir madame », et je suis allé me coucher.

La tombola

À la fin de la classe, aujourd'hui, la maîtresse nous a dit que l'école organisait une tombola, et elle a expliqué à Clotaire qu'une tombola, c'était comme une loterie : les gens avaient des billets avec des numéros, et les numéros étaient tirés au sort, comme pour la loterie, et le numéro qui sortait gagnait un prix, et que ce prix serait un vélomoteur.

La maîtresse a dit aussi que l'argent qu'on ramasserait en vendant des billets servirait à fabriquer un terrain pour que les enfants du quartier puissent faire des sports. Et là on n'a pas très bien compris, parce qu'on a déjà un terrain vague terrible, où on fait des tas de sports et, en plus, il y a une vieille auto formidable, elle n'a plus de roues, mais on s'amuse bien quand même, et je me demande si, dans le nouveau terrain, ils vont mettre une auto. Mais ce qu'il y a de chouette avec la tombola, c'est que la maîtresse a sorti de son bureau des tas de petits carnets, et elle nous a dit :

— Mes enfants, c'est vous qui allez vendre les billets pour cette tombola. Je vais vous donner à chacun un carnet, dans lequel il y a cinquante

101

billets. Chaque billet vaut un franc. Vous vendrez ces billets à vos parents, à vos amis, et même, pourquoi pas, aux gens que vous pourrez rencontrer dans la rue et à vos voisins. Non seulement, vous aurez la satisfaction de travailler pour le bien commun, mais aussi vous ferez preuve de courage en surmontant votre timidité.

Et la maîtresse a expliqué à Clotaire ce que c'était que le bien commun, et puis elle nous a donné un carnet de billets de tombola à chacun. On était bien contents.

À la sortie de l'école, sur le trottoir, on était là, chacun avec son carnet plein de billets numérotés, et Geoffroy nous disait que, lui, il allait vendre tous les billets d'un coup à son père, qui est très riche.

— Ah oui, a dit Rufus, mais comme ça, c'est pas du jeu. Le jeu, c'est de vendre les billets à des gens qu'on ne connaît pas. C'est ça qui est chouette.

— Moi, a dit Alceste, je vais vendre mes billets au charcutier, nous sommes de très bons clients et il ne pourra pas refuser.

Mais tous, on était plutôt d'accord avec Geoffroy, que le mieux c'était de vendre les billets à nos pères. Rufus a dit qu'on avait tort, il s'est approché d'un monsieur qui passait, il lui a offert ses billets, mais le monsieur ne s'est même pas arrêté, et nous, nous sommes tous partis chez nous, sauf Clotaire qui a dû retourner à l'école, parce qu'il avait oublié son carnet de billets dans son pupitre.

Je suis entré dans la maison en courant avec mon carnet de billets à la main.

— Maman ! Maman ! j'ai crié, Papa est là ?

— C'est vraiment trop te demander d'entrer dans la maison comme un être civilisé ? m'a demandé Maman. Non, Papa n'est pas là. Qu'est-ce que tu lui veux à Papa ? Tu as encore fait une bêtise ?

— Mais non, c'est parce qu'il va m'acheter des billets pour qu'on nous fabrique un terrain où nous pourrons faire des sports, tous les types du quartier, et peut-être qu'ils y mettront une auto et le prix c'est un vélomoteur et c'est une tombola, je lui ai expliqué à Maman.

Maman m'a regardé, en ouvrant de grands yeux étonnés, et puis elle m'a dit :

— Je n'ai rien compris à tes histoires, Nicolas. Tu t'arrangeras avec ton père quand il sera là. En attendant, monte faire tes devoirs.

Je suis monté tout de suite, parce que j'aime obéir à Maman, et je sais que ça lui fait plaisir quand je ne fais pas d'histoires. Et puis, j'ai entendu Papa entrer dans la maison, et je suis descendu en courant, avec mon carnet de billets.

— Papa ! Papa ! j'ai crié. Il faut que tu m'achètes des billets, c'est une tombola, et ils vont mettre une auto dans le terrain, et on pourra faire des sports !

— Je ne sais pas ce qu'il a, a dit Maman à Papa. Il est arrivé de l'école plus excité que d'habitude. Je crois qu'ils ont organisé une tombola à l'école, et il veut te vendre des billets.

Papa a rigolé en me passant la main sur les cheveux.

— Une tombola ! C'est amusant, il a dit. Quand j'allais à l'école, on en avait organisé plusieurs. Il y avait eu des concours pour celui qui vendrait le plus de billets, et je gagnais toujours haut la main. Il faut dire que je n'étais pas timide, et que je n'acceptais jamais un refus. Alors, bonhomme, c'est combien tes billets ?

— Un franc, j'ai dit. Et comme il y a cinquante billets, j'ai fait le compte, et ça fait cinquante francs.

Et j'ai tendu le carnet à Papa, mais Papa ne l'a pas pris.

— C'était moins cher de mon temps, a dit Papa. Bon, eh bien, donne-moi un billet.

— Ah non, j'ai dit, pas un billet, tout le carnet. Geoffroy nous a dit que son père allait lui acheter tout le carnet, et on a été tous d'accord pour faire la même chose !

— Ce que fait le papa de ton ami Geoffroy ne me regarde pas ! m'a répondu Papa. Moi je t'achète un billet, et si tu ne veux pas, je ne t'achète rien du tout ! Et voilà.

— Ah ben ça, c'est pas juste ! j'ai crié. Si tous les autres pères achètent des carnets, pourquoi tu ne l'achèterais pas toi ?

Et puis, je me suis mis à pleurer, Papa s'est fâché drôlement, et Maman est arrivée en courant de la cuisine.

— Qu'est-ce qu'il y a encore ? a demandé Maman.

— Il y a, a dit Papa, que je ne comprends pas qu'on fasse faire ce métier aux gosses ! Je n'ai pas mis mon enfant à l'école pour qu'on me le transforme en colporteur ou en mendiant ! Et puis, tiens, je me demande si c'est tellement légal, ces tombolas ! J'ai bien envie de téléphoner au directeur de l'école !

— J'aimerais un peu de calme, a dit Maman.

— Mais toi, j'ai pleuré à Papa, toi tu m'as dit que tu avais vendu des billets de tombola, et que tu étais terrible ! Pourquoi est-ce que moi je n'ai jamais le droit de faire ce que font les autres ?

Papa s'est frotté le front, il s'est assis, il m'a pris contre ses genoux, et puis il m'a dit :

— Oui, bien sûr, Nicolas, mais ce n'était pas la même chose. On nous demandait de faire preuve d'initiative, de nous débrouiller quoi. C'était un bon entraînement qui nous préparait pour les dures luttes de la vie. On ne nous disait pas : « Allez vendre ça à votre papa », tout bêtement…

— Mais Rufus a essayé de vendre des billets à un monsieur qu'il ne connaissait pas, et le monsieur, il ne s'est même pas arrêté ! j'ai dit.

— Mais qui te demande d'aller voir des gens que tu ne connais pas ? m'a dit Papa. Pourquoi ne t'adresserais-tu pas à Blédurt, notre voisin ?

— J'ose pas, j'ai dit.

— Eh bien, je vais t'accompagner, m'a dit Papa en rigolant. Je vais te montrer comment on fait des affaires. N'oublie pas ton carnet de billets.

— Ne vous attardez pas, a dit Maman. Le dîner va être prêt.

Nous avons sonné chez M. Blédurt, et M. Blédurt nous a ouvert.

— Tiens ! a dit M. Blédurt. Mais c'est Nicolas et machin !

— Je viens vous vendre un carnet de billets, c'est pour une tombola pour nous fabriquer un terrain où on va faire des sports et ça coûte cinquante francs, j'ai dit très vite à M. Blédurt.

— Ça va pas, non ? a demandé M. Blédurt.

— Qu'est-ce qui se passe, Blédurt ? a demandé
Papa. C'est ta radinerie habituelle qui te fait parler,
ou tu es fauché ?

— Dis donc, machin, a répondu M. Blédurt,
c'est la nouvelle mode ça de venir mendier chez les
gens ?

— Il faut que ce soit toi, Blédurt, pour refuser
de faire plaisir à un enfant ! a crié Papa.

— Je ne refuse pas de faire plaisir à un enfant, a
dit M. Blédurt. Je refuse simplement de l'encoura-
ger dans la voie dangereuse dans laquelle l'enga-
gent des parents irresponsables. Et d'abord, pourquoi est-ce que tu ne le lui achètes pas, toi, son
carnet ?

— L'éducation de mon enfant ne regarde que
moi, a dit Papa, et je ne t'accorde pas le droit de

porter des jugements sur des sujets que tu ignores d'ailleurs totalement ! Et puis l'opinion d'un radin, moi...

— Un radin, a dit M. Blédurt, qui te prête sa tondeuse à gazon chaque fois que tu en as besoin.

— Tu peux la garder, ta sale tondeuse à gazon ! a crié Papa. Et ils ont commencé à se pousser l'un et l'autre, et puis Mme Blédurt — c'est la femme de M. Blédurt — est arrivée en courant.

— Que se passe-t-il ici ? elle a demandé.

Alors moi, je me suis mis à pleurer, et puis je lui ai expliqué le coup de la tombola et du terrain des sports, et que personne ne voulait m'acheter mes billets, que ce n'était pas juste, et que je me tuerais.

— Ne pleure pas, mon lapin, m'a dit Mme Blédurt. Moi, je te l'achète, ton carnet.

Mme Blédurt m'a embrassé, elle a pris son sac, elle m'a payé, je lui ai donné mon carnet, et je suis revenu à la maison, content comme tout.

Ceux qui sont embêtés maintenant, c'est Papa et M. Blédurt, parce que Mme Blédurt a mis le vélomoteur dans la cave, et elle ne veut pas le leur prêter.

L'insigne

C'est Eudes qui a eu l'idée ce matin, à la récré :

— Vous savez, les gars, il a dit, ceux de la bande, on devrait avoir une insigne !

— « Un » insigne, a dit Agnan.

— Toi, on ne t'a pas sonné, sale cafard ! a dit Eudes.

Et Agnan est parti en pleurant et en disant qu'il n'était pas un cafard, et qu'il allait le lui prouver.

— Et pour quoi faire, un insigne ? j'ai demandé.

— Ben, pour se reconnaître, a dit Eudes.

— On a besoin d'un insigne pour se reconnaî-tre ? a demandé Clotaire, très étonné.

Alors, Eudes a expliqué que l'insigne c'était pour reconnaître ceux de la bande, que ça serait drôle-ment utile quand on attaquerait les ennemis, et nous on a tous trouvé que c'était une idée très chouette, et Rufus a dit que ce qui serait encore mieux, ce serait que ceux de la bande aient un uni-forme.

— Et où est-ce que tu vas trouver un uniforme ? a demandé Eudes. Et puis d'abord, avec un uni-forme, on aurait l'air de guignols !

— Alors, mon père, il a l'air d'un guignol ? a demandé Rufus, qui a un papa qui est agent de police et qui n'aime pas qu'on se moque de sa famille.

Mais Eudes et Rufus n'ont pas eu le temps de se battre, parce qu'Agnan est revenu avec le Bouillon, et il a montré Eudes du doigt.

— C'est lui, m'sieur, a dit Agnan.

— Que je ne vous reprenne plus à traiter votre camarade de cafard ! a dit le Bouillon, qui est notre surveillant. Regardez-moi bien dans les yeux ! C'est compris ?

Et il est parti avec Agnan, qui était drôlement content.

— Et il serait comment, l'insigne ? a demandé Maixent.

— En or, c'est chouette, a dit Geoffroy. Mon père, il en a un en or.

— En or ! a crié Eudes. Mais t'es complètement fou ! Comment tu vas faire pour dessiner sur de l'or ?

Et on a tous trouvé qu'Eudes avait raison, et on a décidé que les insignes, on allait les faire avec du papier. Et puis on a commencé à discuter pour savoir comment il serait, l'insigne.

— Mon grand frère, a dit Maixent, il est membre d'un club, et il a un insigne terrible, avec un ballon de foot et du laurier autour.

— C'est bon, le laurier, a dit Alceste.

— Non, a dit Rufus, ce qui est chouette, c'est deux mains qui se serrent pour montrer qu'on est un tas de copains.

— On devrait mettre, a dit Geoffroy, le nom de la bande : « la bande des Vengeurs », et puis deux

épées qui se croisent, et puis un aigle, et puis le drapeau, et nos noms autour.

— Et puis du laurier, a dit Alceste.

Eudes a dit que c'était trop de choses, mais qu'on lui avait donné des idées, qu'il allait dessiner l'insigne en classe et qu'il nous le montrerait à la récré suivante.

— Dites, les gars, a demandé Clotaire, c'est quoi, un insigne ?

Et puis la cloche a sonné et nous sommes montés en classe. Comme Eudes avait déjà été interrogé en géographie la semaine dernière, il a pu travailler tranquillement. Il était drôlement occupé, Eudes ! Il avait la figure sur son cahier, il faisait des ronds avec son compas. Il peignait avec des crayons de couleur, il tirait la langue, et nous, nous étions tous drôlement impatients de voir notre insigne. Et puis Eudes a terminé son travail, il a mis la tête loin de son cahier, il a regardé en fermant un œil et il a eu l'air content comme tout. Et puis la cloche a sonné la récré.

Quand le Bouillon a fait rompre les rangs, nous nous sommes tous mis autour d'Eudes, qui, très fier, nous a montré son cahier. L'insigne était assez chouette. C'était un rond, avec une tache d'encre au milieu et une autre sur le côté ; à l'intérieur du rond, c'était bleu, blanc, jaune, et tout autour c'était écrit : « EGMARJNC. »

— C'est pas terrible ? a demandé Eudes.

— Ouais, a dit Rufus, mais c'est quoi, la tache, là ?

— C'est pas une tache, imbécile, a dit Eudes, c'est deux mains qui se serrent.

— Et l'autre tache, j'ai demandé, c'est aussi deux mains qui se serrent ?

— Mais non, a dit Eudes, pourquoi veux-tu qu'il y ait quatre mains ? L'autre, c'est une vraie tache. Elle ne compte pas.

— Et ça veut dire quoi : « EGMARJNC » ? a demandé Geoffroy.

— Ben, a dit Eudes, c'est les premières lettres de nos noms, tiens !

— Et les couleurs ? a demandé Maixent. Pourquoi t'as mis du bleu, du blanc et du jaune ?

— Parce que j'ai pas de crayon rouge, nous a expliqué Eudes. Le jaune, ce sera du rouge.

— En or, ça serait mieux, a dit Geoffroy.

— Et puis il faudrait mettre du laurier tout autour, a dit Alceste.

Alors, Eudes s'est fâché, il a dit qu'on n'était pas des copains et que si ça ne nous plaisait pas, eh bien, tant pis, il n'y aurait pas d'insigne, et que ça ne valait vraiment pas la peine de se donner du mal et de travailler en classe, c'est vrai, quoi, à la fin. Mais nous on a tous dit que son insigne était très chouette, et c'est vrai qu'il était assez bien et on était drôlement contents d'avoir un insigne pour reconnaître ceux de la bande, et on a décidé de le porter toujours, même quand on serait grands, pour que les gens sachent que nous sommes de la bande des Vengeurs. Alors, Eudes a dit qu'il ferait tous les insignes chez lui à la maison, ce soir, et que nous on devait arriver demain matin avec des épingles pour mettre les insignes à la boutonnière. On a tous crié : « Hip, hip ! hourra ! » et Eudes a dit à Alceste qu'il essayerait de mettre un peu de laurier, et Alceste lui a donné un petit morceau de jambon de son sandwich.

Le lendemain matin, quand Eudes est arrivé dans la cour de l'école, nous avons tous couru vers lui.

— T'as les insignes ? on lui a demandé.

— Oui, a dit Eudes. J'ai eu un drôle de travail, surtout pour les découper en rond.

Et il nous a donné à chacun notre insigne, et c'était vraiment très bien : bleu, blanc, rouge, avec des trucs marron sous les mains qui se serrent.

— C'est quoi, les choses marron ? a demandé Joachim.

— C'est le laurier, a expliqué Eudes ; je n'avais pas de crayon vert.

Et Alceste a été très content. Et comme nous avions tous une épingle, nous avons mis nos insignes à la boutonnière de nos vestons, et on était rien fiers, et puis Geoffroy a regardé Eudes et il lui a demandé :

— Et pourquoi ton insigne est beaucoup plus grand que les nôtres ?

— Ben, a dit Eudes, l'insigne du chef est toujours plus grand que les autres.

Et qui a dit que tu étais le chef, je vous prie ? a demandé Rufus.

— C'est moi qui ai eu l'idée de l'insigne, a dit Eudes. Alors je suis le chef, et ceux à qui ça ne plaît pas, je peux leur donner des coups de poing sur le nez !

— Jamais de la vie ! Jamais de la vie ! a crié Geoffroy. Le chef, c'est moi !

— Tu rigoles, j'ai dit.

— Vous êtes tous des minables ! a crié Eudes, et puis d'abord, puisque c'est comme ça, vous n'avez qu'à me les rendre, mes insignes !

— Voilà ce que j'en fais de ton insigne ! a crié Joachim, et il a enlevé son insigne, il l'a déchiré, il l'a jeté par terre, il l'a piétiné et il a craché dessus.

— Parfaitement ! a crié Maixent.

Et nous avons tous déchiré nos insignes, nous les avons jetés par terre, nous les avons piétinés et nous avons craché dessus.

— C'est pas un peu fini, ce manège ? a demandé le Bouillon. Je ne sais pas ce que vous faites, mais je vous interdis de continuer à le faire. C'est compris ?

Et quand il est parti, nous avons dit à Eudes qu'il n'était pas un copain, qu'on ne lui parlerait plus jamais de notre vie et qu'il ne faisait plus partie de notre bande.

Eudes a répondu que ça lui était égal et que, de toute façon, il ne voulait pas faire partie d'une bande de minables. Et il est parti avec son insigne qui est grand comme une soucoupe.

Et maintenant, pour reconnaître ceux de la bande, c'est facile : ceux de la bande, ce sont ceux qui n'ont pas d'insigne bleu, blanc, rouge avec EGMARJNC écrit autour et deux mains qui se serrent, au milieu, avec du laurier marron en dessous.

Le message secret

Pendant la composition d'histoire, hier, à l'école, il s'est passé quelque chose de terrible. Agnan, qui est le premier de la classe et le chouchou de la maîtresse a levé le doigt, et il a crié :

— Mademoiselle ! Cet élève copie !

— C'est pas vrai, sale menteur ! a crié Geoffroy.

Mais la maîtresse est venue, elle a pris la feuille de Geoffroy, celle d'Agnan, elle a regardé Geoffroy, qui a commencé à pleurer, elle lui a mis un zéro, et après la composition, elle l'a emmené chez le directeur. La maîtresse est revenue seule en classe, et elle nous a dit :

— Mes enfants, Geoffroy a commis une faute très grave ; non seulement il a copié sur un camarade, mais encore, il a persisté à nier, ajoutant le mensonge à la malhonnêteté. Par conséquent, M. le Directeur a suspendu Geoffroy pour deux jours. J'espère que cela lui servira de leçon, et lui apprendra que, dans la vie, la malhonnêteté ne paie pas. Maintenant, prenez vos cahiers, nous allons faire une dictée.

À la récré, on était bien embêtés, parce que Geoffroy est un copain, et quand on est suspendu, c'est terrible, parce que les parents font des histoires et vous privent d'un tas de choses.

— Il faut venger Geoffroy ! a dit Rufus. Geoffroy fait partie de la bande, et nous, on doit le venger contre ce sale chouchou d'Agnan. Ça servira de leçon à Agnan, et ça lui apprendra que dans la vie, ça ne paie pas de faire le guignol.

Nous, on a été tous d'accord, et puis Clotaire a demandé :

— Et comment on va faire pour se venger d'Agnan ?

— On pourrait tous l'attendre à la sortie, a dit Eudes, et on lui taperait dessus.

— Mais non, a dit Joachim. Tu sais bien qu'il porte des lunettes, et qu'on ne peut pas lui taper dessus.

— Et si on ne lui parlait plus ? a dit Maixent.

— Bah ! a dit Alceste. De toute façon, on ne lui parle presque jamais, alors, il ne se rendra pas compte qu'on ne lui parle plus.

— On pourrait peut-être le prévenir, a dit Clotaire.

— Et si on étudiait tous drôlement pour la prochaine composition, et qu'on était tous premiers à sa place ? j'ai dit.

— T'es pas un peu fou ? m'a demandé Clotaire en se donnant des coups sur le front avec le doigt.

— Moi, je sais, a dit Rufus. J'ai lu une histoire, dans une revue, et le héros, qui est un bandit et qui porte un masque, vole l'argent des riches pour le donner aux pauvres, et quand les riches veulent voler les pauvres pour ravoir leur argent, alors lui, il leur envoie un message, et c'est écrit : « On ne se moque pas impunément du Chevalier Bleu. » Et les ennemis ont drôlement peur, et ils n'osent plus voler.

— Ça veut dire quoi : « impunément » ? a demandé Clotaire.

— Mais, j'ai dit, si on envoie un message à Agnan, il saura que c'est nous qui l'avons écrit, même si nous mettons des masques. Et nous serons punis.

— Non, monsieur, a dit Rufus. Je connais un truc que j'ai vu dans un film, où des bandits envoyaient des messages, et pour qu'on ne reconnaisse pas leur écriture, ils écrivaient les messages avec des lettres découpées dans des journaux et collées sur des feuilles de papier, et personne ne les découvrait jusqu'à la fin du film !

Nous on a trouvé que c'était une drôlement bonne idée, parce qu'Agnan aurait tellement peur de notre vengeance, qu'il quitterait peut-être l'école, et ce serait bien fait pour lui.

— Et qu'est-ce qu'on va écrire dans le message ? a demandé Alceste.

— Eh ben, a dit Rufus, on va mettre : « On ne se moque pas impunément de la bande des Vengeurs ! »

On a tous crié : « Hip, hip, hourra ! » Clotaire a

demandé ce que ça voulait dire « impunément », et on a décidé que ce serait Rufus qui préparerait le message pour demain.

Et quand on est arrivé à l'école, ce matin, on s'est tous mis autour de Rufus, et on lui a demandé s'il avait le message.

— Oui, a dit Rufus. Même que ça a fait des histoires chez moi, parce que j'ai découpé le journal de mon père, et mon père n'avait pas fini de le lire, et il m'a donné une baffe, et il m'a privé de dessert, et c'était du flan.

Et puis Rufus nous a montré le message, et il était écrit avec des tas de lettres différentes, et

121

nous, on a tous trouvé que c'était très bien, sauf Joachim qui a dit que c'était pas terrible, et qu'on ne pouvait pas bien lire.

— Alors, moi, je n'ai pas eu du flan, a crié Rufus, j'ai travaillé comme un fou avec les ciseaux et la colle, et cet imbécile trouve que c'est pas terrible ? La prochaine fois, tu le feras toi-même, le message, tiens !

— Ouais ? a crié Joachim. Et qui est un imbécile, imbécile toi-même ?

Alors, ils se sont battus, et le Bouillon, c'est notre surveillant mais ce n'est pas son vrai nom, est arrivé en courant, il leur a dit qu'il en avait assez de les voir se conduire comme des sauvages, et il les a mis en retenue pour jeudi, tous les deux. Heureusement, il n'a pas confisqué le message, parce que Rufus l'avait donné à Clotaire avant de commencer à se battre. En classe, j'attendais que Clotaire m'envoie le message ; comme je suis celui qui est assis le plus près d'Agnan, c'est moi qui devais mettre le message sur son banc, sans qu'il me voie. Comme ça, quand il se retournerait, il verrait le papier, et il ferait une drôle de tête, Agnan.

Mais Clotaire regardait le message sous son pupitre, et il demandait des choses à Maixent, qui est assis à côté de lui. Et tout d'un coup, la maîtresse a crié :

— Clotaire ! Répétez ce que je viens de dire !

Et comme Clotaire, qui s'était levé, ne répétait rien du tout, la maîtresse a dit :

— Parfait, parfait. Eh bien, voyons si votre voisin est plus attentif que vous... Maixent, je vous prie, voulez-vous me répéter ce que je viens de dire ?

Alors Maixent s'est levé, et il s'est mis à pleurer, et la maîtresse a dit à Clotaire et à Maixent de conjuguer à tous les temps de l'indicatif et du subjonctif, le verbe : « Je dois être attentif en classe, au lieu de me distraire en y faisant des niaiseries, car je suis à l'école pour m'instruire, et non pas pour me dissiper ou m'amuser. »

Et puis Eudes, qui est assis derrière notre banc, a passé le message à Alceste. Alceste me l'a passé, et la maîtresse a crié :

— Mais vous avez le diable au corps, aujourd'hui ! Eudes, Alceste, Nicolas ! Venez me montrer ce papier ! Allons ! Inutile d'essayer de le cacher, je vous ai vus ! Eh bien ? J'attends !

Alceste est devenu tout rouge, moi je me suis mis à pleurer. Eudes a dit que c'était pas sa faute, et la maîtresse est venue chercher le message ; elle l'a lu, elle a ouvert de grands yeux, elle nous a regardés, et elle a dit :

— « On ne se moque pas impunément de la bande des Vengeurs ? » Qu'est-ce donc que ce charabia ?... Oh, et puis je ne veux pas le savoir, ça ne m'intéresse pas ! Vous feriez mieux de travailler en classe, au lieu de faire des bêtises. En attendant, vous viendrez tous les trois en retenue, jeudi.

À la récré, Agnan, il rigolait. Mais il a bien tort de rigoler, ce sale chouchou.

Parce que, comme a dit Clotaire, impunément ou non, on ne fait pas le guignol avec la bande des Vengeurs !

On nE se mOqUE PAs IMpuNémEnt De LA BaNdE DeS VENgEurs

Jonas

Eudes, qui est un copain qui est très fort et qui aime bien donner des coups de poing sur le nez des copains, a un grand frère qui s'appelle Jonas et qui est parti faire le soldat. Eudes est très fier de son frère et il nous en parle tout le temps.

— Nous avons reçu une photo de Jonas en uniforme, il nous a dit un jour. Il est terrible ! Demain, je vous apporte la photo.

Et Eudes nous a apporté la photo, et Jonas était très bien, avec son béret et un grand sourire tout content.

— Il a pas de galons, a dit Maixent.

— Ben, c'est parce qu'il est nouveau, a expliqué Eudes, mais il va sûrement devenir officier et commander des tas de soldats. En tout cas, il a un fusil.

— Il a pas de revolver ? a demandé Joachim.

— Bien sûr que non, a dit Rufus. Les revolvers, c'est pour les officiers. Les soldats, ils n'ont que des fusils.

Ça, ça ne lui a pas plu, à Eudes.

— Qu'est-ce que tu en sais ? il a dit. Jonas a un revolver, puisqu'il va devenir officier.

— Ne me fais pas rigoler, a dit Rufus. Mon père, lui, il a un revolver.

— Ton père, a crié Eudes, il n'est pas officier ! Il est agent de police. C'est pas malin d'avoir un revolver quand on est agent de police !

— Un agent de police, c'est comme un officier, a crié Rufus. Et puis d'abord, mon père, il a un képi ! Il a un képi, ton frère ?

Et Eudes et Rufus se sont battus.

Une autre fois, Eudes nous a raconté que Jonas était parti en manœuvres avec son régiment et qu'il avait fait des choses terribles, qu'il avait tué des tas d'ennemis et que le général l'avait félicité.

— Dans les manœuvres, on ne tue pas d'ennemis, a dit Geoffroy.

— On fait comme si, a expliqué Eudes. Mais c'est très dangereux.

— Ah ! non, ah ! non, a dit Geoffroy. Si on fait comme si, ça vaut pas ! Ça serait trop facile !

— Tu veux un coup de poing sur le nez ? a demandé Eudes. Et ça ne sera pas comme si !

— Essaie ! lui a dit Geoffroy.

Eudes a essayé, il a réussi, et ils se sont battus.

La semaine dernière, Eudes nous a raconté que Jonas avait été de garde pour la première fois, et que si on l'avait choisi pour être de garde, c'était parce qu'il était le meilleur soldat du régiment.

— Parce que c'est seulement le meilleur soldat du régiment qui fait la garde ? j'ai demandé.

— Et alors ? m'a dit Eudes. Tu ne voudrais tout de même pas qu'on donne le régiment à garder à un imbécile ? Ou à un traître qui laisserait entrer les ennemis dans la caserne ?

— Quels ennemis ? a demandé Maixent.

— Et puis d'abord, c'est des blagues, a dit Rufus. Tous les soldats font la garde, chacun à son tour. Les imbéciles comme les autres.

— C'est bien ce que je pensais, j'ai dit.

— Et puis, c'est pas dangereux de faire la garde, a dit Geoffroy. Tout le monde peut la faire !

J'aimerais t'y voir, a crié Eudes. Rester tout seul, la nuit, comme ça, à garder le régiment.

— C'est plus dangereux de sauver quelqu'un qui se noie, comme je l'ai fait pendant les dernières vacances ! a dit Rufus.

— Ne me fais pas rigoler, a dit Eudes, t'as sauvé personne, et t'es un menteur. Et puis, vous savez ce que vous êtes ? Vous êtes tous des idiots !

Alors, on s'est tous battus avec Eudes, et moi j'ai reçu un gros coup de poing sur le nez, et le Bouillon, qui est notre surveillant, nous a tous mis au piquet.

Il commence à nous embêter, Eudes, avec son frère.

Et ce matin, Eudes est arrivé, tout énervé.

— Eh les gars ! Eh les gars ! il a crié. Vous savez pas quoi ? Nous avons reçu une lettre de mon frère, ce matin ! Il vient en permission ! Il arrive aujourd'hui ! Il doit déjà être à la maison ! Moi, je voulais rester pour l'attendre, mais mon père n'a pas voulu. Mais il m'a promis de dire à Jonas de venir me chercher à l'école, à midi ! Et vous ne savez pas la meilleure ? Allez, devinez !...

Comme personne n'a rien dit, Eudes a crié, tout fier :

— Il a un grade ! Il est première classe !

— C'est pas un grade, ça, a dit Rufus.

— C'est pas un grade, qu'il dit, a dit Eudes, en rigolant. Parfaitement que c'est un grade, et il a un galon sur la manche. Il nous l'a écrit !

— Et ça fait quoi, un première classe ? j'ai demandé.

— Ben, c'est comme un officier, a dit Eudes. Ça commande des tas de soldats, ça donne des ordres ; à la guerre, c'est celui qui conduit les autres à la bataille ; les soldats doivent le saluer quand il passe. Parfaitement, monsieur ! Les soldats doivent saluer mon frère quand il passe ! Comme ça !

Et Eudes a mis la main contre le côté de la tête, pour saluer.

— Ça c'est chouette ! a dit Clotaire.

On était tous un peu jaloux d'Eudes, qui a un

frère en uniforme, avec des galons, et que tout le monde salue. Et puis aussi, on était contents de le voir à la sortie de l'école. Moi, je l'avais déjà vu une fois ou deux, le frère d'Eudes, mais c'était avant, quand il n'était pas encore soldat et que personne ne le saluait. Il est très fort et très gentil.

— D'ailleurs, à la sortie, nous a dit Eudes, il vous racontera lui-même. Je vous laisserai lui parler.

On est montés en classe très énervés, mais le plus énervé de tous, bien sûr, c'était Eudes. Sur son banc, il bougeait et il se penchait pour parler aux copains qui étaient sur les bancs autour de lui.

— Eudes ! a crié la maîtresse. Je ne sais pas ce que vous avez ce matin, mais vous êtes insupportable ! Si vous continuez, je vous garde après la classe !

— Oh ! non, mademoiselle ! Non ! on a tous crié.

La maîtresse nous a regardés, tout étonnée, et Eudes lui a expliqué que son frère, le gradé, venait l'attendre à la sortie.

La maîtresse s'est penchée pour chercher quelque chose dans son tiroir ; mais nous on la connaît, on sait que quand elle fait ça, c'est qu'elle a envie de rigoler ; et puis elle a dit :

— Bon. Mais tenez-vous tranquilles. Surtout vous, Eudes, il faut être sage, pour être digne d'un frère soldat !

Elle nous a paru drôlement longue la classe, et quand la cloche a sonné, tous nos cartables étaient prêts et nous sommes sortis en courant.

Sur le trottoir, Jonas nous attendait. Il n'était pas en uniforme ; il avait un pull-over jaune et un pantalon bleu à rayures, et là on a été un peu déçus.

— Salut, tête de pioche ! il a crié quand il a vu Eudes. T'as encore grandi !

Et Jonas a embrassé Eudes sur les deux joues, il
lui a frotté la tête et il a fait semblant de lui donner
un coup de poing. Il est drôlement chouette, le
frère d'Eudes. J'aimerais bien avoir un grand frère
comme lui !

— Pourquoi t'es pas en uniforme, Jojo ? a
demandé Eudes.

— En perme ? Tu rigoles ! a dit Jonas.

Et puis il nous a regardés et il a dit :

— Ah ! mais voilà tes copains. Ça, c'est Nicolas... Et le petit gros là, c'est Alceste... Et l'autre, là, c'est... c'est...

— Maixent ! a crié Maixent, tout fier que Jonas l'ait reconnu.

— Dites, a demandé Rufus. C'est vrai que maintenant que vous avez des galons, vous commandez des hommes sur le champ de bataille ?

— Sur le champ de bataille ? a rigolé Jonas. Sur le champ de bataille, non, mais à la cuisine, je surveille les corvées de pluches. Je suis affecté aux cuisines. C'est pas toujours drôle, mais on mange bien. Il y a du rab.

Alors, Eudes a regardé Jonas, il est devenu tout blanc et il est parti en courant.

— Eudes ! Eudes ! a crié Jonas. Mais qu'est-ce qu'il a, celui-là ? Attends-moi, tête de pioche ! Attends-moi !

Et Jonas est parti en courant, après Eudes.

Nous, nous sommes partis aussi, et Alceste a dit qu'Eudes devait être fier d'avoir un frère qui avait si bien réussi dans l'armée.

La craie

Allons, bon ! a dit la maîtresse, il n'y a plus de craie ! Il va falloir aller en chercher.

Alors on a tous levé le doigt et on a crié : « Moi ! moi, mademoiselle ! » sauf Clotaire qui n'avait pas entendu. D'habitude, c'est Agnan, qui est le premier de la classe et le chouchou de la maîtresse, qui va chercher les fournitures, mais là, Agnan était absent parce qu'il a la grippe, alors on a tous crié : « Moi ! moi, mademoiselle ! »

— Un peu de silence ! a dit la maîtresse. Voyons… Vous, Geoffroy, allez-y, mais revenez vite, n'est-ce pas ? Ne traînez pas dans les couloirs.

Geoffroy est parti, content comme tout, et il est revenu avec un gros sourire et des bâtons de craie plein la main.

— Merci, Geoffroy, a dit la maîtresse. Allez vous asseoir ; Clotaire, passez au tableau. Clotaire, je vous parle !

Quand la cloche a sonné, nous sommes tous sortis en courant, sauf Clotaire, à qui la maîtresse avait des choses à dire, comme chaque fois quand elle l'interroge.

Et Geoffroy nous a dit, dans l'escalier :

— À la sortie, venez avec moi. J'ai un truc terrible à vous montrer !

Nous sommes tous sortis de l'école, et on a demandé à Geoffroy ce qu'il avait à nous montrer, mais Geoffroy a regardé de tous les côtés, et il a dit : « Pas ici. Venez ! » Il aime bien faire des mystères, Geoffroy, il est énervant pour ça. Alors on l'a suivi, on a tourné le coin de la rue, on a traversé, on a continué encore un peu, on a retraversé, et puis Geoffroy s'est arrêté, et nous nous sommes mis autour de lui. Geoffroy a encore regardé partout, il a mis la main dans sa poche, et il nous a dit :

— Regardez !

Et dans sa main, il avait — vous ne le devineriez jamais — un bâton de craie !

— Le Bouillon m'a donné cinq bâtons, nous a expliqué Geoffroy, tout fier. Et moi, je n'en ai donné que quatre à la maîtresse !

— Eh ben dis donc, a dit Rufus, t'as du culot, toi !

— Ouais, a dit Joachim, si le Bouillon ou la maîtresse savaient ça, tu te ferais renvoyer, c'est sûr !

Parce que c'est vrai, avec les fournitures de l'école, il faut pas faire les guignols ! La semaine dernière, un grand a tapé sur la tête d'un autre grand avec la carte qu'il portait, la carte s'est déchirée, et les deux grands ont été suspendus.

— Les lâches et les froussards n'ont qu'à partir, a dit Geoffroy. Les autres, on va rigoler avec la craie.

Et nous sommes tous restés, d'abord parce qu'on n'est pas des lâches ni des froussards dans la bande, et puis aussi, parce qu'avec un bâton de craie, on peut drôlement s'amuser et faire des tas et des tas de choses. Ma mémé, une fois, elle m'a envoyé un tableau noir, plus petit que celui de l'école, et une boîte de bâtons de craie, mais Maman m'a pris les craies, parce qu'elle disait que j'en mettais partout, sauf sur le tableau. C'est dommage, c'étaient des craies de toutes les couleurs, des rouges, des bleues, des jaunes, et j'ai dit que ce qui aurait été chouette, ça aurait été d'avoir des craies de couleur.

— Ah, bravo ! a crié Geoffroy. Moi, je prends des risques terribles, et monsieur Nicolas n'aime pas la couleur de ma craie. Puisque t'es si malin, t'as qu'à aller en demander, toi, des craies de couleur, au Bouillon ! Vas-y ! Mais qu'est-ce que t'attends ? Vas-y ! Toi, tu parles, tu parles, mais t'aurais jamais osé en garder de la craie, tiens ! Je te connais !

— Ouais, a dit Rufus.

Alors, j'ai jeté mon cartable, j'ai pris Rufus par le veston, et je lui ai crié :

— Retire ce que tu as dit !

Mais comme il ne voulait rien retirer du tout, on a commencé à se battre, et puis on a entendu une grosse voix qui criait d'en haut :

— Voulez-vous cesser tout de suite, petits voyous ! Allez jouer ailleurs, ou j'appelle la police !

Alors nous sommes tous partis en courant, nous avons tourné le coin de la rue, nous avons traversé, retraversé, et nous nous sommes arrêtés.

— Quand vous aurez fini de faire les guignols, a dit Geoffroy, on pourra peut-être continuer à s'amuser avec ma craie.

— Si ce type-là reste ici, moi je m'en vais ! a crié Rufus. Tant pis pour ta craie.

Et il est parti, et je ne lui parlerai plus jamais de ma vie.

— Bon, a dit Eudes, qu'est-ce qu'on va faire avec la craie ?

— Ce qui serait bien, a dit Joachim, ce serait d'écrire des choses sur les murs.

— Oui, a dit Maixent. On pourrait écrire : « La bande des Vengeurs ! » Comme ça, les ennemis sauraient que nous sommes passés par ici.

— Ah, très bien, a dit Geoffroy. Et puis moi, je me fais renvoyer de l'école ! Très bien ! Bravo !

— T'es un lâche, quoi ! a dit Maixent.

— Un lâche, moi qui ai pris des risques terribles ? Tu me fais rigoler, tiens ! a dit Geoffroy.

— Si t'es pas un lâche, écris sur le mur, a dit Maixent.

— Et si après on est tous renvoyés ? a demandé Eudes.

— Bon, les gars, a dit Joachim. Moi, je m'en vais. Sinon, je vais arriver en retard à la maison, et je vais avoir des histoires.

Et Joachim est parti en courant drôlement vite.

Je ne l'avais jamais vu tellement pressé de rentrer chez lui.

— Ce qui serait bien, a dit Eudes, ce serait de faire des dessins sur des affiches. Tu sais, mettre des lunettes, des moustaches, des barbes et des pipes !

On a tous trouvé que c'était une chouette idée, seulement dans la rue, là, il n'y avait pas d'affiches. Alors on a commencé à marcher, mais c'est toujours la même chose ; quand on cherche des affiches, on n'en trouve pas.

— Pourtant, a dit Eudes, je me souviens d'une affiche, quelque part, dans le quartier... Tu sais, le petit garçon qui mange un gâteau au chocolat, avec de la crème dessus...

— Oui, a dit Alceste. Je la connais. Je l'ai même découpée dans un journal de ma mère.

Et Alceste nous a dit qu'on l'attendait chez lui pour le goûter ; et il est parti en courant.

Comme il se faisait tard, on a décidé de ne plus chercher d'affiches, et de continuer à rigoler avec le bâton de craie.

— Vous savez quoi, les gars, a crié Maixent. On pourrait faire une marelle ! On va dessiner sur le trottoir, et...

— T'es pas un peu fou ? a dit Eudes. La marelle, c'est un jeu de filles !

— Non monsieur, non monsieur ! a dit Maixent, qui est devenu tout rouge. C'est pas un jeu de filles !

Alors Eudes s'est mis à faire des tas de grimaces, et il a chanté d'une voix toute fine.

— Mademoiselle Maixent veut jouer à la marelle ! Mademoiselle Maixent veut jouer à la marelle !

— Viens te battre dans le terrain vague ! a crié
Maixent. Allez, viens, si t'es un homme !

Et Eudes et Maixent sont partis ensemble, mais
au bout de la rue ils se sont séparés. C'est qu'en
s'amusant avec le bâton de craie, comme ça, on ne
s'en rendait pas compte, mais il commençait à se
faire drôlement tard.

Nous sommes restés seuls, Geoffroy et moi.
Geoffroy a fait comme si le bâton de craie était une

cigarette, et puis après, il l'a mis entre sa lèvre d'en haut et le nez, comme si c'était une moustache.

— Tu m'en donnes un morceau ? j'ai demandé.

Mais Geoffroy a fait non avec la tête ; alors moi, j'ai essayé de lui prendre le bâton de craie, mais le bâton de craie est tombé par terre, et il s'est cassé en deux. Il était drôlement furieux, Geoffroy.

— Tiens ! il a crié. Voilà ce que j'en fais de ton morceau !

Et avec son talon, il a écrasé un des morceaux de craie.

— Ah oui ? j'ai crié, eh ben voilà ce que j'en fais de ton morceau à toi !

Et crac ! Avec mon talon, j'ai écrasé son morceau de craie à lui.

Et comme on n'avait plus de craie, on est rentré chacun chez soi.

Pour une fois qu'on rigolait !

SEMPÉ

COMME PAR HASARD, 1981 (Folio n° 2088)

DE BON MATIN, 1983 (Folio n° 2135)

VAGUEMENT COMPÉTITIF, 1985 (Folio n° 2275)

LUXE, CALME ET VOLUPTÉ, 1987 (Folio n° 2535)

PAR AVION, 1989 (Folio n° 2370)

VACANCES, 1990

ÂMES SŒURS, 1991 (Folio n° 2735)

INSONDABLES MYSTÈRES, 1993 (Folio n° 2850)

RAOUL TABURIN, 1995 (Folio n° 3305)

GRANDS RÊVES, 1997

BEAU TEMPS, 1999

LE MONDE DE SEMPÉ, tome 1, 2002

MULTIPLES INTENTIONS, 2003 (Folio n° 5115)

LE MONDE DE SEMPÉ, tome 2, 2004

SENTIMENTS DISTINGUÉS, 2007

SEMPÉ À NEW YORK, 2009

ENFANCES, entretien avec Marc Lecarpentier, 2011

Aux Éditions Gallimard

CATHERINE CERTITUDE, texte de Patrick Modiano, 1988 (Folio n° 4298)

L'HISTOIRE DE MONSIEUR SOMMER, texte de Patrick Süskind, 1991 (Folio n° 4297)

UN PEU DE PARIS, 2001

UN PEU DE LA FRANCE, 2005

CORRESPONDANCE, 2011

RENÉ GOSCINNY

Aux Éditions IMAV

IZNOGOUD, 25 HISTOIRES DE 1962 À 1978 (avec Tabary), 2012

RENÉ GOSCINNY – MILLE ET UN VISAGES, présenté par José-Louis Bocquet, Collectif, 2012

DU PANTHÉON À BUENOS AIRES, chroniques illustrées, 2007

TOUS LES VISITEURS À TERRE !, roman illustré, 2010

D'après l'œuvre de Goscinny et Tabary :

IZNOGOUD PRÉSIDENT – LES NOUVELLES AVENTURES D'IZNOGOUD, Nicolas Canteloup, Laurent Vassilian, Nicolas Tabary, 2012

Aux Éditions Hachette

ASTERIX, 25 volumes (avec Uderzo)

Aux Éditions Albert René

COMMENT OBÉLIX EST TOMBÉ DANS LA MARMITE DU DRUIDE QUAND IL ÉTAIT PETIT (avec Uderzo)

ASTÉRIX ET LA RENTRÉE GAULOISE (avec Uderzo)

OUMPAH-PAH, 3 volumes (avec Uderzo)

JEHAN PISTOLET, 4 volumes (avec Uderzo)

ASTÉRIX, 9 albums, Uderzo sous la double signature Goscinny et Uderzo

Aux Éditions Lefrancq

LUC JUNIOR, 2 volumes (avec Uderzo)

BENJAMIN ET BENJAMINE, LES NAUFRAGÉS DE L'AIR (idem)

Aux Éditions Dupuis

LUCKY LUKE, 22 volumes (avec Morris)

JERRY SPRING, LA PISTE DU GRAND NORD (avec Jijé)

Aux Éditions Lucky Comics

LUCKY LUKE, 19 volumes (avec Morris)

Aux Éditions Dargaud

LES DINGODOSSIERS, 3 volumes (avec Gotlib)

IZNOGOUD, 8 volumes (avec Tabary)

LES DIVAGATIONS DE MONSIEUR SAIT-TOUT (avec Martial)

Aux Éditions du Lombard

MODESTE ET POMPON, 3 volumes (avec Franquin)

CHICK BILL, LA BONNE MINE DE DOG BULL (avec Tibet)

SPAGHETTI, 11 volumes (avec Attanasio)

STRAPONTIN, 6 volumes (avec Berck)

Aux Éditions Denoël

LA POTACHOLOGIE, 2 volumes (avec Cabu)

LES INTERLUDES

Aux Éditions Vents d'Ouest

LES ARCHIVES GOSCINNY, 4 volumes

Aux Éditions Kunen Publishers

PLAYTIME STORIES (avec Fred Ottenheimer)

THE MONKEY IN THE ZOO (idem)

WATER PISTOL PETE AND FLYING ARROW (idem)

THE LITTLE RED CAR (avec Elliott Liebow et Harvey Kurtzman)

ROUND THE WORLD (idem)

THE JOLLY JUNGLE (idem)

Aux Éditions du Livre Français

LA FILLE AUX YEUX D'OR, texte de Balzac, dessins de Goscinny

COLLECTION FOLIO